D0718751

CLAUDIA ET LA TRICHEUSE

Titres de la collection

Titres de la collection

40

CLAUDIA ET LA TRICHEUSE
Quatre gardiennes fondent leur club

Ann M. Martin

Adapté de l'américain par
Sylvie Prieur

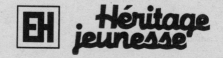

Tous droits de reproduction, d'édition, d'impression, d'adaptation, par quelque procédé que ce soit, tant électronique que mécanique, en particulier par photocopie ou par microfilm, sont interdits sans l'autorisation écrite de l'éditeur.

Données de catalogage avant publication (Canada)

Martin, Ann M., 1955-

Claudia et la tricheuse

(Les Baby-sitters ; 40)
Traduction de: Claudia and the middle school mystery.
Pour les jeunes.

ISBN: 2-7625-7455-2

I. Titre. II. Collection: Martin, Ann M., 1955-
Les baby-sitters ; 40.

PZ23.M37C1 1993   j813'.54   C93-096992-8

Conception graphique de la couverture: Jocelyn Veillette

Claudia and the Middle School Mystery
Copyright © 1991 by Ann M. Martin
publié par Scholastic Inc., New York N.Y.

Version française:
© Les Éditions Héritage Inc. 1993
Tous droits réservés

Dépôts légaux: 3e trimestre 1993
Bibliothèque nationale du Québec
Bibliothèque nationale du Canada

ISBN: 2-7625-7455-2   Imprimé au Canada

LES ÉDITIONS HÉRITAGE INC.
300 Arran, Saint-Lambert (Québec) J4R 1K5
(514) 875-0327

*L'auteure remercie
Ellen Miles
pour son aide à la
préparation de ce manuscrit.*

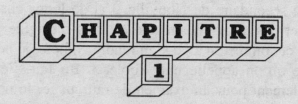

CHAPITRE 1

Donc, si Gertrude a utilisé deux tiers de tasse de chocolat pour faire huit biscuits, combien de chocolat contient chaque biscuit? me demande Josée.

— Chaque biscuit contient… euh!…

Je déteste cette Gertrude. Qu'est-ce que ça donne de savoir combien de chocolat contient chaque biscuit? Je ne me pose jamais la question quand je mange des biscuits au chocolat!

Pour m'encourager, Josée hoche la tête et me sourit comme si j'avais déjà trouvé la réponse. Levant les yeux, je cherche l'inspiration dans le portrait de Mimi, qui est suspendu au-dessus de mon bureau. Ensuite, je reviens au problème.

— Un douzième? Un douzième de tasse chacun? dis-je à la fin.

— Exact! s'exclame Josée avec un grand sourire. Bravo! Cette fois, je crois que tu as compris.

Bon, on sait maintenant combien de chocolat

Gertrude met dans ses biscuits. Mais vous ne savez pas qui je suis, qui est Josée et qui est cette Mimi sur le portrait.

Je suis Claudia Kishi, j'ai treize ans et je fréquente l'école secondaire de Nouville. J'ai de longs cheveux noirs et des yeux en amande (je suis d'origine japonaise) et comme on a pu s'en rendre compte, je ne suis pas ce qu'on appelle une « bolée ». En fait, j'étudie actuellement pour un examen de rattrapage. Je ne suis pas très douée pour les maths, ni pour les sciences d'ailleurs.

Par contre, je suis très douée pour les arts plastiques. J'adore le dessin, la peinture, la sculpture, les collages... Vous voyez le tableau ?

Josée est ma sœur. Papa, maman, Josée et moi formons une famille très unie. Papa est courtier en valeurs mobilières, ma mère est bibliothécaire, et Josée est un génie. Oui, oui, un vrai génie. En plus de ses cours au cégep, elle suit des cours universitaires par correspondance.

Mimi, celle qui figure sur le portrait, était ma grandmère. Elle est morte il y a peu de temps et elle me manque terriblement. Elle était douce et calme et me comprenait mieux que quiconque. Il m'arrive de ne pas croire que je ne la reverrai plus jamais. Mais elle occupera toujours une place spéciale dans mon cœur. Je n'ai qu'à penser à elle ou à regarder son portrait pour me sentir près d'elle.

Qu'est-ce que vous voudriez savoir d'autre sur moi ? J'adore garder les enfants. C'est d'ailleurs pour cette raison que je fais partie du Club des baby-sitters. Je raffole aussi des romans policiers... et des friandises! Toutefois, mes parents voudraient me voir lire des grands classiques et n'acceptent pas du tout que je mange de camelote alimentaire. «Une saine alimentation...», enfin tout le monde connaît la rengaine.

Je m'adonne donc à mes vices, les polars et les gourmandises, en cachette. Mes livres sont cachés sous mon matelas, sur la tablette supérieure de mon placard ou sous une pile de linge sale. Pour ce qui est des sucreries, il y en a un peu partout dans ma chambre, à des endroits stratégiques.

Ce soir, toutefois, je ne grignote pas et je ne lis pas de roman policier. J'étudie en prévision d'un examen de maths ultrasuper important qui compte pour une grosse partie de la note finale. Et je dois *absolument* obtenir une bonne note.

Heureusement que Josée est là. Mes parents ont décrété que quelqu'un doit m'aider à faire mes devoirs tous les soirs. Avant, c'était Mimi qui le faisait. Elle ne s'impatientait jamais et avec elle, je n'avais pas l'impression d'être un zéro. De plus, même si elle ne me le disait pas toujours, je sais qu'elle était très fière de moi. Avec Josée, c'est une autre histoire.

Ce n'est pas parce qu'elle n'est pas gentille. Au contraire. Mais je pense qu'elle n'a aucune idée de ce que représente l'école pour moi. Voyez vous, elle adore l'école et je crois que la note la plus basse qu'elle ait jamais eue, c'est un A-. Et pourtant, malgré son génie, elle essaie de m'aider à comprendre comment Gertrude mesure son chocolat! Elle doit me trouver tellement stupide! Je sais que c'est généreux de sa part de me donner un coup de main, mais je souhaiterais ne pas avoir besoin de son aide... ni de celle de personne. Je dois admettre qu'elle est extrêmement patiente ce soir. Elle sait que cet examen est d'une importance capitale pour mon année scolaire.

— Alors, comment trouves-tu monsieur Poitras? me demande-t-elle.

Monsieur Poitras est mon prof de maths. En fait, c'est un suppléant qui remplace mon professeur régulier pour quelques mois.

— Il est correct. Ce n'est pas la première fois qu'il nous enseigne. Il sait que je suis un peu lente à assimiler tous ces trucs-là, dis-je en désignant mon livre de maths d'un signe de tête.

Franchement, je ne pense jamais grand-chose de mes profs. J'essaie seulement de donner le maximum sans trop me faire remarquer. Je suis tellement exaspérée de me faire demander si je suis la sœur de Josée Kishi! Les profs s'attendent toujours à un autre petit génie. Inutile de vous dire qu'ils sont déçus.

— Bon, on va en faire un autre, dit Josée.

J'essaie de me concentrer sur les nombres, mais je suis fatiguée.

— Ici, nous avons vu une expression fractionnaire qu'il s'agit de simplifier et de multiplier par la réciproque...

Ça y est, je ne comprends plus rien. J'ai beau essayer, mais je ne peux plus la suivre quand elle se met à parler en jargon mathématique. Bien malgré moi, mon esprit se met à vagabonder. Je pense à ce collage auquel je travaille et je me demande s'il y aura de belles photos dans le magazine que maman a rapporté à la maison ce soir.

— ... et ainsi, on peut déduire que le train voyage à cent quarante kilomètres à l'heure, ce qui... Claudia! fait Josée en faisant claquer ses doigts devant mes yeux. Base terrestre à Claudia. Base terrestre à Claudia.

— Oh, excuse-moi, Josée. Je...

— Tu rêvais tout éveillée, termine Josée. Je sais ce que ça veut dire quand tu as ce regard. À quoi pensais-tu?

— Oh, à rien de spécial.

Je ne suis pas pour lui dire que j'avais commencé à réfléchir à une question d'extrême importance: qu'est-ce que je vais porter pour aller à l'école, demain? Voyez-vous, Josée n'a absolument aucun intérêt pour la mode et les vêtements. Elle se contenterait de porter le même chemisier blanc, la même jupe à carreaux et les mêmes souliers tous les jours.

Moi, j'adore m'habiller. J'adore surtout faire jaser les gens avec mes tenues excentriques. Par exemple, voilà comment j'ai l'intention de m'habiller demain. Comme j'ai un examen important, j'ai opté pour mes boucles d'oreilles chanceuses, des imitations de celles de la princesse Diana. Ce sont des pseudo-émeraudes entourées de centaines de (faux) diamants minuscules. Pour aller avec mes boucles d'oreilles, je vais porter ma robe-chandail vert et bleu avec des collants verts.

Toutefois, je ne sais pas encore si je vais mettre mes chaussons de ballet ou les bottes lacées en cuir noir que je viens d'acheter.

Pour l'instant, je retourne à mes maths et je tente d'éblouir Josée.

— Je vais essayer de résoudre le problème numéro cinq.

C'est un autre problème stupide. Pierre et Paul veulent savoir combien coûte la location d'un bateau à rames pour deux heures et demie. Personnellement, je ne me poserai jamais ce genre de question parce que je n'irais pas m'aventurer au beau milieu d'un lac avec une chaloupe !

— La réponse est… quatre dollars et vingt-cinq cents. C'est ça ?

— Tu as vraiment compris le principe, Claudia, s'exclame-t-elle en souriant. Tu es prête pour demain, j'en suis maintenant convaincue.

— Fin prête, dis-je.

J'aimerais seulement être aussi convaincue que ma sœur.

CHAPITRE 2

Lorsque nous en avons terminé avec les problèmes, Josée me donne quelques conseils sur la façon de faire un examen. Elle termine en me souhaitant bonne chance et quitte enfin ma chambre.

— Merci beaucoup, Josée, dis-je.

Aussitôt après son départ, j'allume ma radio. Je suis incapable de travailler dans le silence complet, mais Josée ne tolère pas la radio quand elle m'aide. Après les problèmes de maths, les autres devoirs sont un jeu d'enfant. J'expédie le tout en un temps record.

— Aaaah ! dis-je en me laissant tomber sur mon lit.

Je peux maintenant appeler Sophie.

— Salut, Sophie. C'est moi, dis-je quand Sophie Ménard, ma meilleure amie, répond.

Je lui parle alors de l'examen de maths de demain et de mon estomac qui est déjà tout à l'envers rien que d'y penser. Pour elle, ce n'est pas un problème, elle est première de classe en maths.

— Voyons, Claudia, dit-elle. Tu n'as pas à t'en faire, surtout avec tout le temps qu'on a passé à étudier la matière.

C'est vrai. Sophie m'a beaucoup aidée tout au long de l'année.

— Mais, Sophie…

— Il n'y a pas de mais, interrompt-elle. Tu connais la matière sur le bout de tes doigts et tu vas réussir cet examen demain. C'est dans la poche, Claudia.

Ses paroles me rassurent, mais je ne suis pas tout à fait convaincue. Je change donc de sujet et nous nous mettons à bavarder de mode, des garçons et de notre club, le Club des baby-sitters.

— Penses-y, Claudia. Demain, à la réunion du Club, cet examen sera déjà chose du passé.

Elle a raison. Demain, nous avons une réunion du CBS après l'école. Lorsque nous raccrochons, je pense que je suis chanceuse d'avoir une meilleure amie comme Sophie, sans compter les autres membres du Club qui sont aussi mes amies. Je devrais peut-être vous les décrire.

Premièrement, il y a Christine, la présidente et fondatrice du Club des baby-sitters. Nous avons grandi ensemble sur la même rue. Mais maintenant, elle habite à l'autre bout de la ville avec sa «nouvelle» famille.

À l'origine, sa famille était composée de son père, sa mère, ses deux frères aînés, Charles et Sébastien, et de son petit frère, David. Un jour, son père est parti, comme ça, abandonnant femme et enfants. (David n'était alors qu'un bébé.) Madame Thomas a pris son courage à deux mains et a élevé sa famille seule jusqu'au jour où elle a rencontré Guillaume Marchand, un millionnaire de la place. Ils sont tombés amoureux et se sont mariés! La famille de Christine a alors emménagé dans le manoir de Guillaume, aux confins de Nouville.

La nouvelle famille de Christine n'est pas ce qu'on peut appeler une famille moyenne. Outre les membres de la famille originale, il y a les deux enfants de Guillaume, Karen, sept ans, et André, quatre ans. Ils sont en visite chez leur père une fin de semaine sur deux. Ensuite, il y a Émilie, le bébé le plus adorable de toute la terre. C'est une petite Vietnamienne de deux ans que Guillaume et la mère de Christine ont adoptée récemment. Enfin, il y a Nanie, la grand-mère de Christine, venue s'installer à la maison pour s'occuper d'Émilie.

J'allais oublier deux autres occupants de la maison: Zoé et Bou-bou. Non, ce ne sont pas des enfants. Zoé est un chiot qui va devenir un chien énorme, et Bou-bou est le vieux chat obèse et grincheux de Guillaume.

Comme vous pouvez le constater, ça bouge chez Christine. Mais ça lui convient. Elle mène toujours trois ou quatre projets de front et elle a la tête remplie d'idées toutes plus géniales les unes que les autres. Elle est tellement occupée qu'elle ne se soucie absolument pas de son apparence. Pourtant, Christine est jolie. Elle a des yeux et des cheveux bruns, et un visage expressif. Si elle se maquillait et se coiffait un peu... De plus, elle s'habille comme un garçon manqué: jeans, col roulé, espadrilles, et un chandail quand il fait froid.

Christine a un défaut : elle a la langue bien pendue et elle oublie parfois de penser avant de parler. Mais ça ne pose pas de problèmes pour les autres membres du CBS, nous sommes habituées.

Même Anne-Marie Lapierre s'est habituée au franc-parler de Christine et ce n'est pas peu dire. Voyez-vous, Anne-Marie est la personne la plus sensible de l'univers. Elle est la secrétaire du Club et la meilleure amie de Christine. C'est bizarre quand on y pense. Elles sont tellement différentes ! Contrairement à Christine, Anne-Marie est timide et réservée. Mais physiquement, elles se ressemblent. Anne-Marie est un peu plus grande, mais elle a les yeux et les cheveux de la même couleur que ceux de Christine.

Anne-Marie s'habille mieux que Christine ; elle écoute plus qu'elle ne parle et c'est une grande romantique. D'ailleurs, elle sort avec un garçon (c'est la seule du groupe qui ait un petit ami). Il s'appelle Louis Brunet. Il est beau comme un acteur de cinéma et, croyez-le ou non, il fait partie de notre club à titre de membre associé !

Parfois, je suis encore étonnée qu'Anne-Marie soit autorisée à avoir un copain. Il n'y a pas si longtemps, son père était incroyablement sévère. Il faut comprendre qu'il a élevé sa fille seul — la mère d'Anne-Marie est décédée quand elle était bébé — et il pensait probablement que c'était la meilleure façon d'éduquer un enfant. Mais il vient de se remarier et il est plus conciliant. Depuis qu'il a commencé à fréquenter sa nouvelle femme en fait.

Et qui est sa nouvelle femme? La mère de Diane Dubreuil, une autre membre du Club! Imaginez-vous donc que monsieur Lapierre et madame Dubreuil sortaient ensemble, ici à Nouville, pendant leur cours secondaire. Mais madame Dubreuil a quitté la ville pour aller étudier en Californie. C'est là qu'elle a rencontré son mari, le père de Diane et de Julien (son frère). Plus tard, lorsque les parents de Diane ont divorcé, madame Dubreuil a vécu quelques mois à Hull. Ensuite, elle est venue s'établir avec ses enfants à Nouville, sa ville natale. On connaît la suite: elle et monsieur Lapierre ont recommencé à se fréquenter et le tout s'est terminé par un mariage.

Diane et Anne-Marie sont donc maintenant demi-sœurs et toujours grandes amies. Anne-Marie, son père et son chat Tigrou ont emménagé dans la maison des Dubreuil, qui est plus grande. Maintenant, tout ce petit monde vit heureux, sauf Julien qui est parti retrouver son père en Californie. (Il n'arrivait pas à s'adapter à la vie à Nouville.) Diane s'ennuie d'eux, mais elle essaie d'aller en Californie quand elle le peut.

Diane est le type parfait de la jeune californienne. Elle a de longs cheveux blond-blanc et elle porte toujours des vêtements sport qui ont beaucoup de style. Elle adore les aliments naturels et le soleil. Elle sait ce qu'elle veut et ne se laisse pas influencer par personne. La seule chose qui puisse la faire dévier de sa ligne de conduite, c'est une bonne histoire de fantômes. Ça tombe bien parce qu'elle habite une vieille maison de ferme qui pourrait être... hantée! Eh oui. La maison abrite un passage secret et je suis certaine qu'un jour, Diane finira par attraper le fantôme qui, selon la légende, rôde dans ses murs.

Sophie, elle, ne croit pas du tout aux fantômes. Sophie Ménard, ma meilleure amie, est une jolie blonde très intelligente. Elle a grandi à Toronto, mais maintenant, elle habite Nouville avec sa mère. Nous sommes devenues amies quand elle a emménagé ici, la première fois. Nous avons toutes les deux les mêmes goûts. J'étais vraiment désespérée quand elle est retournée vivre à Toronto (son père avait été muté). Mais maintenant, elle est revenue. Malheureusement (et heureusement pour moi), si elle est à Nouville, c'est parce que ses parents ont divorcé. Sophie accepte maintenant cette réalité et va visiter son père régulièrement.

Sophie est diabétique. Ça veut dire qu'elle doit surveiller son alimentation, sinon, le taux de sucre dans son sang devient tout déréglé et elle peut être très malade. Mais Sophie sait prendre soin d'elle. Elle vérifie son taux de glucose, se donne des injections d'insuline (aie !) et suit sa diète à la lettre. À part cela, elle mène une vie normale. Toutefois, j'ai remarqué qu'elle a moins d'entrain et d'énergie ces derniers temps. J'espère que son état n'a pas empiré.

Les autres membres de mon groupe d'amies sont Marjorie Picard et Jessie Raymond. Elles sont plus jeunes que nous (elles ont onze ans), mais elles sont matures pour leur âge. Ce sont des meilleures amies et elles ont beaucoup de points en commun : elles adorent la lecture, souhaitent ardemment que leurs parents cessent un jour de les traiter comme des bébés, et viennent toutes deux de familles unies.

Cependant, Marjorie est issue d'une famille très nombreuse : elle a sept frères et sœurs ! Jessie a une jeune sœur et un petit frère. Aussi, Marjorie est blanche alors que Jessie est noire. Pour nous, ça ne fait pas de différence. Toutefois, les Raymond ont dû affronter les préjugés de beaucoup de gens lors de leur établissement à Nouville. Maintenant, tout est rentré dans l'ordre pour la famille Raymond. Marjorie adore écrire et dessiner, tandis que la passion de Jessie, c'est le ballet.

Voilà, ce sont mes amies. J'ai de la chance qu'elles soient là. Malheureusement, je sais que demain pendant l'examen de maths, elles ne pourront pas m'aider. Je serai seule contre la Gertrude et son problème de biscuit au chocolat !

CHAPITRE 3

— Votre attention s'il vous plaît, crie monsieur Poitras dans l'espoir d'enterrer le bourdonnement des voix des élèves. Je vais maintenant distribuer les examens. Déposez vos livres par terre.

Lorsqu'on peut entendre une mouche voler, il remet une pile de feuilles aux premiers de chaque rangée en leur disant de les distribuer.

— Cet examen compte pour une grosse partie de la note finale. Mais ne vous inquiétez pas. Je sais que vous maîtrisez bien la matière. Bonne chance à tous.

Jetant un coup d'œil sur le papier qui vient d'atterrir sur mon pupitre, j'ai un serrement de la gorge. Il y a des dizaines de problèmes et la feuille est truffée de décimales et de fractions.

Je lève la tête et mon regard croise celui de monsieur Poitras. Il me sourit et m'indique l'horloge. J'ai compris le message : il est temps de commencer.

Je regarde le premier problème. Les chiffres dansent

devant mes yeux. Soudain, je suis prise de vertige. Je n'y arriverai jamais! Je ne comprends même pas le premier problème! Puis je me souviens des paroles de Josée: «Si tu te sens nerveuse, respire à fond.» C'est ce que je fais. Elle m'a dit aussi: «Tu n'es pas obligée de répondre aux questions dans l'ordre. Saute celles que tu trouves trop difficiles et tu pourras toujours y revenir par la suite.»

Tiens, le problème numéro six me dit quelque chose. Un petit calcul savant et voilà. Lorsque je l'ai terminé, toutes les notions étudiées la veille me reviennent à l'esprit. Je retourne alors au premier problème et je fais le reste de l'examen calmement, sans me presser, afin d'éviter les erreurs d'inattention.

Je suis tellement concentrée que je sursaute en entendant la cloche. Un dernier coup d'œil, puis je remets ma feuille d'examen. Je sors de la classe le sourire aux lèvres. Je ne me suis jamais sentie aussi bien après un examen. Je suis certaine d'avoir un B et peut-être même un A!

Le reste de la journée se déroule trop lentement à mon goût. J'ai hâte de raconter à Sophie et aux autres membres du Club comment s'est déroulé mon examen.

À la maison, je travaille un peu à mon collage, mais sans beaucoup d'intérêt. Je suis trop excitée. À dix-sept heures quinze, je range ma chambre et je sors quelques petites choses à grignoter de leur cachette.

Christine arrive la première, en coup de vent comme d'habitude. Sans perdre une seconde, elle s'installe dans mon fauteuil, met sa visière et glisse un crayon sur son oreille.

— Comment ça va, Claudia ? me demande-t-elle.

Je suis sur le point de lui parler de mon examen, puis je me ravise. Je préfère attendre les autres pour ne pas avoir à me répéter. En regardant Christine sur son trône de présidente, je pense au Club et à ses débuts.

Christine a fondé le Club au commencement du secondaire I, un soir où sa mère essayait désespérément de trouver une gardienne pour David. Normalement, le problème ne se posait pas car Christine, Sébastien et Charles gardaient David à tour de rôle. Mais il arrivait parfois qu'aucun d'eux n'était libre. C'est en voyant sa mère faire un million d'appels que Christine a pensé que les parents apprécieraient sûrement un service leur permettant de rejoindre plusieurs gardiennes au même numéro. Voilà pourquoi on se réunit dans ma chambre les lundis, mercredis et vendredis, de dix-sept heures trente à dix-huit heures. Pourquoi ma chambre ? Parce que je possède ma propre ligne téléphonique. (C'est aussi pour cette raison qu'on m'a élue vice-présidente.) Pendant ces réunions, les parents nous téléphonent pour réserver nos services. C'est aussi simple que ça.

En fait, ce n'est pas si simple. Il faut beaucoup d'organisation pour attribuer les gardes selon les disponibilités de chacune. Ça, c'est le travail d'Anne-Marie, notre secrétaire. Elle est au courant de nos horaires — mes cours d'arts plastiques, les leçons de ballet de Jessie, les rendez-vous de Marjorie chez l'orthodontiste, enfin tout. Elle consigne ces renseignements dans l'agenda, ainsi que les gardes à effectuer. C'est encore Christine qui a eu l'idée de l'agenda. Avec elle, il faut que tout soit officiel.

Mais c'est une excellente idée parce que ça nous permet de bien fonctionner. Anne-Marie fait un travail colossal et n'a jamais commis d'erreur.

L'agenda contient aussi les coordonnées de tous nos clients. Cela comprend leurs noms, adresses et numéros de téléphone, de même que certains renseignements sur leurs enfants, comme les allergies de l'un, les petites habitudes de l'autre, et ainsi de suite.

Sophie, la trésorière, s'occupe de comptabiliser l'argent que nous gagnons. Cette fonction lui va comme un gant, car elle a la bosse des maths. Heureusement qu'elle n'est pas aussi sensible qu'Anne-Marie parce que, quand vient le moment de percevoir les cotisations, c'est la grogne générale. L'argent du «trésor» sert principalement à payer Charles, qui conduit Christine aux réunions du Club, vu qu'elle habite loin maintenant. Il sert également à nous payer quelques gâteries quand nous organisons des fêtes et des pyjamades.

On utilise aussi l'argent des cotisations pour nos trousses à surprises. Ce sont des boîtes contenant toutes sortes de choses amusantes pour les enfants : des jeux, des autocollants, des crayons de couleur, des livres d'histoires. L'idée des trousses vient encore de Christine, naturellement. Elles nous sont très utiles, surtout les jours de pluie.

Quoi qu'il en soit, Sophie fait une excellente comptable et elle tient les cordons de la bourse serrés.

Diane est notre membre suppléante. Cela signifie qu'elle peut assumer les fonctions de l'une ou l'autre d'entre nous qui doit s'absenter. Par exemple, elle a occupé le poste de trésorière pendant que Sophie était à Toronto.

Marjorie et Jessie n'ont pas de tâche particulière. En tant que membres juniors, elles ne peuvent pas garder le soir (sauf s'il s'agit de leurs propres frères et sœurs). Mais elles sont passablement occupées l'après-midi et les fins de semaine, ce qui nous libère pour les engagements en soirée.

Nous avons également deux membres associés, Louis Brunet (le petit ami d'Anne-Marie) et Chantal Chrétien, qui habite en face de chez Christine. Les membres associés n'assistent pas aux réunions et ne gardent pas régulièrement. Ils sont là pour nous dépanner quand nous sommes vraiment débordées.

Ah, j'allais oublier de vous parler du journal de bord. Probablement parce que c'est ce que j'aime le moins du Club. Chacune doit faire le compte rendu de ses gardes dans le journal de bord. Et en plus d'y écrire quelques lignes, il faut aussi le lire une fois par semaine! Je ne vous dis même pas qui a eu l'idée de ce journal. Vous avez sans doute deviné. Malgré tout, je dois avouer que c'est très utile. Comme ça, on se tient au courant de ce qui se passe chez nos clients. Mais c'est du travail quand même. Nous avons parcouru beaucoup de chemin depuis les débuts du Club. Qui aurait pensé que notre entreprise deviendrait aussi prospère? Les membres ont mis leurs différents talents en commun et nous avons réussi.

Christine s'éclaircit la voix et je réalise soudain que pendant que j'étais perdue dans mes pensées, les autres membres sont arrivées. Croisant le regard de Sophie, je lui fais signe avec mon pouce que tout s'est bien déroulé. Elle me répond par un sourire et un haussement d'épaules comme pour me dire: «Tu vois, je te l'avais dit.»

Dès l'ouverture de la réunion, le téléphone se met à sonner. On dirait que tous les parents de Nouville ont besoin de gardiennes. Lorsque les appels commencent à s'espacer, la réunion tire déjà à sa fin et les friandises que j'avais préparées sont disparues. Je fouille donc dans une autre de mes cachettes et je brandis un sac de biscuits au chocolat.

— J'ai une bonne nouvelle à fêter, dis-je.

Je leur raconte alors comment s'est déroulé mon examen et tout le monde me félicite. Tout le monde sauf Anne-Marie, qui se montre prudente.

— Tu ne penses pas que tu devrais attendre de connaître le résultat avant de fêter? dit-elle.

Elle a parfaitement raison. Mais nous allons avoir les résultats demain. Et de toute façon, peu m'importe la note exacte. Je *sais* que j'ai réussi!

— Tel que promis, j'ai corrigé votre examen afin de vous le rendre aujourd'hui, annonce monsieur Poitras au début du cours de maths. Toutefois, je vais vous le remettre un peu plus tard au cours de la période. Avant, nous allons aborder le chapitre douze.

Ah non! Je vais être obligée d'attendre la moitié de la période avant de connaître ma note! Je n'en peux plus. Je vais exploser. Les paroles d'Anne-Marie m'ont trotté dans la tête toute la soirée, hier. Je sais qu'elle n'a pas voulu m'inquiéter, mais je serai plus tranquille quand je verrai ma note.

J'imagine bien pourquoi monsieur Poitras ne veut pas nous remettre nos examens tout de suite. Il veut éviter le chahut qui suit inévitablement la remise d'un examen et passer sa nouvelle matière. Sa stratégie est absolument inefficace dans mon cas. Je n'ai aucune idée de ce qu'il nous raconte pendant la première moitié du cours.

Enfin, monsieur Poitras termine son exposé sur les rapports et les proportions de je ne sais trop quoi. Le moment fatidique est arrivé. Monsieur Poitras se dirige l-e-n-t-e-m-e-n-t vers son bureau, prend la pile d'examens et se tourne vers nous en souriant.

— Sauf quelques exceptions, vous avez tous bien réussi. La moyenne de la classe est assez élevée, déclare-t-il avant de distribuer les examens.

— Monsieur Poitras, remettez-moi ma copie à l'envers, blague un garçon. Je ne veux pas que tout le monde puisse voir ma note.

Trois autres garçons lui font écho, mais je sais qu'ils ne sont pas vraiment inquiets. Naturellement, ils montrent leur feuille aux autres aussitôt qu'ils la reçoivent.

Monsieur Poitras se dirige maintenant vers moi. Je ferme les yeux, j'inspire profondément et je retourne la feuille déposée sur mon pupitre. Quatre-vingt-quatorze pour cent! A-!!! Ce n'était pas le fruit de mon imagination après tout. J'ai réussi pour vrai.

Pendant le reste de la période, monsieur Poitras révise les problèmes et les solutions avec la classe. Mais moi, je n'entends rien. Je ne vois que ce magnifique A- écrit à l'encre rouge sur MA feuille.

La cloche sonne la fin du cours et tout le monde se lève. Je suis en train de ramasser mes livres quand j'entends mon nom.

— Isabelle Courchesne et Claudia Kishi, dit monsieur Poitras, je voudrais vous voir avant que vous partiez.

J'imagine qu'il veut me féliciter pour mon excellente note et me dire qu'il est fier de moi. Par contre, je me demande ce qu'il peut bien vouloir d'Isabelle. En général, elle a de très bonnes notes. C'est l'une des premières de la classe.

Je m'avance donc vers le bureau de monsieur Poitras, le sourire aux lèvres, tandis qu'Isabelle semble plutôt perplexe. Monsieur Poitras me regarde d'un air sévère.

— J'aimerais que vous sortiez toutes deux vos feuilles d'examen et que vous les placiez côte à côte sur mon bureau. Dites-moi si vous remarquez quelque chose.

Je vois tout de suite que nous avons la même note et je le mentionne à monsieur Poitras.

— C'est exact, Claudia, répond-il sèchement. Mais il y a autre chose. Regarde le numéro cinq.

C'est un des problèmes que je n'ai pas réussis.

— Je pense que je sais pourquoi j'ai fait cette erreur, dis-je. J'aurais dû multiplier au lieu de diviser. C'est ça?

— Là n'est pas la question, Claudia. Regarde la feuille d'Isabelle.

Bizarre, elle a fait exactement la même erreur. Monsieur Poitras revoit notre examen avec nous. Toutes les deux, nous avons trois erreurs. Trois erreurs identiques. Mais je ne comprends toujours pas à quoi veut en venir monsieur Poitras.

— Mesdemoiselles, les probabilités de faire les mêmes erreurs aux mêmes endroits sont à peu près nulles, dit-il en nous regardant l'une et l'autre. Savez-vous ce que j'en conclus?

Je me retourne vers Isabelle. L'espace d'une seconde, je peux lire la peur dans ses yeux. Déconcertée, je regarde monsieur Poitras.

— L'une de vous deux a copié sur l'autre, déclare-t-il en me regardant droit dans les yeux.

En entendant ces paroles, mon sang ne fait qu'un tour. Ma tête bourdonne et mes mains deviennent moites. Je n'en crois pas mes oreilles.

— Monsieur Poitras, vous n'êtes pas notre professeur régulier, alors vous ne me connaissez pas bien, minaude Isabelle. Si vous me connaissiez, vous sauriez qu'il n'est pas dans mes habitudes de tricher.

— Tu peux t'en aller, Isabelle, dit monsieur Poitras après quelques secondes.

Isabelle prend ses livres et quitte la classe en vitesse, sans me regarder. Quant à moi, je reste plantée là, tête baissée, essayant de comprendre ce qui m'arrive. Quelle idiote! Je ne suis même pas capable de me défendre. Il est évident que c'est Isabelle qui a copié sur moi. Je sais que je n'ai pas triché. Mais c'est ma parole contre la sienne. Naturellement, monsieur Poitras, et n'importe quel autre professeur dans un tel cas, préfère croire la première de classe plutôt que la dernière.

Isabelle réussit bien dans toutes les matières sauf en maths. Cependant, elle est généralement la plus forte du cours de rattrapage. Elle est aussi extrêmement populaire à l'école. Elle fait partie de la troupe de théâtre, dirige le club des activités sociales et est aussi meneuse de bans. Il n'y a pas plus populaire qu'elle. Et moi? Je ne suis que Claudia Kishi, celle qui collectionne les basses notes. Il est tout naturel que monsieur Poitras présume que c'est moi qui ai triché. Hé, minute papillon! Je ne suis peut-être pas la meilleure élève de toute l'histoire du système scolaire, mais je suis honnête!

— Monsieur Poitras, dis-je, je sais que les apparences sont contre moi, mais je suis certaine qu'il y a une explication à tout ça. Je n'aurais jamais...

— Claudia, m'interrompt monsieur Poitras, j'ai consulté ton dossier. Je comprends que tu sois fatiguée de travailler si fort simplement pour obtenir la note de passage dans tes cours. Mais ce n'est pas en copiant sur les autres que tu vas réussir.

— Mais, monsieur Poitras, je...

— Je suis désolé, Claudia, rétorque-t-il. Je vais être obligé de soumettre cette affaire au directeur. La tricherie est une faute grave, ajoute-t-il. Il voudra probablement mettre ton professeur régulier au courant afin que ça ne se reproduise plus. Et naturellement, il va aviser tes parents.

Je hoche la tête pitoyablement. Est-ce que je vais me réveiller? Est-ce un cauchemar? Soudain, je me sens impuissante. Tout ce que je dirai à monsieur Poitras ne changera rien, il a rendu son verdict. Coupable! Je pense que n'importe quel autre prof aurait agi de la même façon. Après tout, Isabelle n'a pas de raison de tricher. Elle n'accumule pas les échecs scolaires comme moi.

— Claudia? fait doucement monsieur Poitras. Tu peux t'en aller maintenant.

Serrant mes livres contre ma poitrine, je lorgne mon

examen sur le bureau du professeur. Il est évident que je ne peux pas emporter cette pièce à conviction.

Je sors de la classe en silence, complètement abasourdie. Je me rends à mon casier comme une automate, je l'ouvre et j'y jette mon livre de maths. Je ne veux plus jamais le revoir.

Le reste de la journée se déroule comme dans un rêve. Je ne me rappelle plus rien. Pour éviter mes amies, je passe l'heure du dîner dans les toilettes. Heureusement, je n'ai pas de cours avec Sophie cet après-midi. En me voyant, elle devinerait immédiatement que ça ne tourne pas rond. Bien sûr, je vais l'appeler ce soir et lui raconter l'affaire. Après tout, c'est ma meilleure amie. Et je sais qu'elle mettra les autres au courant pour que je n'aie pas à le faire moi-même. Je sais qu'elle prendra ma part et qu'elle me réconfortera. N'empêche que pour l'instant, je ne veux parler à personne.

Quelle journée! C'est comme si j'avais été dans les montagnes russes. Ce matin, j'étais excitée comme c'est pas possible et cet après-midi, je suis malheureuse comme les pierres. Si c'est ce que ça rapporte étudier, je ne vois pas pourquoi je me fendrais en quatre pour réussir.

CHAPITRE 5

Mardi

Marjorie, tu es géniale! Tu as réussi à faire lever la punition des triplets.

Il fallait absolument faire quelque chose. Tous les autres membres de la famille étaient en train de devenir dingues.

Je comprends pourquoi. Je n'ai jamais vu trois garçons aussi déprimés. Ils n'étaient même pas contents de me voir!

Ne t'en fais pas avec ça, Claudia. Ils étaient seulement excédés d'être enfermés. Mais on peut dire que le moral est revenu maintenant.

Sophie en a vu de toutes les couleurs cet après-midi. J'ai été accusée de tricheuse le matin même, mais heureusement, elle n'en sait encore rien.

Comme Sophie l'a mentionné, ce n'est jamais calme chez les Picard. Mais je vais vous présenter la famille de Marjorie pour que vous puissiez vous faire une idée. Marjorie, onze ans, est l'aînée. Je dois dire qu'elle est beaucoup plus calme que le reste de la tribu. Viennent ensuite les triplets : Bernard, Antoine et Joël, dix ans. Déjà, garder un garçon de dix ans, ça demande beaucoup de patience. Alors trois, ce n'est pas une sinécure. Bernard est un peu plus tranquille que ses deux frères, mais ces derniers compensent par leur inépuisable énergie.

Ensuite, il y a Vanessa, neuf ans, qui se prend pour une grande poétesse. La plupart du temps, elle parle en rimes. Puis vient Nicolas, huit ans. Il meurt d'envie de participer aux jeux des triplets, mais ceux-ci le laissent toujours à l'écart. Le pauvre Nicolas se retrouve donc le plus souvent avec Margot, sept ans, que je qualifierais de raisonnable. Enfin, il y a Claire, le bébé de la famille. Elle a cinq ans et traverse actuellement une phase bizarre. Elle adore « faire semblant » et appelle tout le monde le-pou-qui-pue.

En arrivant chez les Picard, Sophie croise Marjorie qui sort en courant. Elle garde chez un autre client et ne veut pas être en retard. Madame Picard essaie d'emmener Margot, Vanessa et Nicolas au centre commercial, mais dès qu'elle réussit à les installer dans la voiture, il y en a un qui sort à la dernière minute, prétextant avoir oublié quelque chose d'important.

— Bonjour, Sophie, soupire madame Picard. Je dois être complètement folle de vouloir emmener les trois en même temps, mais c'est moins pire que d'y aller avec toute la famille.

Sophie essaie d'imaginer les huit enfants Picard en même temps au centre commercial : vision cauchemardesque.

— Restez ici, je vais aller chercher Vanessa, offre-t-elle.

Entrant dans la maison, elle trouve Vanessa au salon en train de fouiller dans une grosse boîte.

— Vanessa, dépêche-toi. Ta mère t'attend.

— Mon cahier vert il me faut trouver, car j'ai des vers à composer.

— Pas maintenant, Vanessa, de répondre Sophie. Essaie de les mémoriser et tu les écriras au retour, dit-elle en reconduisant Vanessa dehors.

Au moment de refermer la porte, Sophie sent une présence derrière elle. Elle tourne la tête et se retrouve nez à nez avec les triplets qui font chacun une horrible grimace tandis que Claire assiste au spectacle en gloussant.

— Eh les gars, vous êtes beaucoup plus beaux qu'au naturel ! s'exclame-t-elle.

Les trois garçons éclatent de rire. Avant même que Sophie puisse leur suggérer d'aller jouer dehors, Antoine annonce qu'ils vont jouer au base-ball dans la cour.

— Et tu n'es pas invitée ! précise-t-il à Claire en lui tirant la langue.

— Ça ne me dérange pas, Antoine-le-pou-qui-pue, répond celle-ci. Je vais jouer à la marelle avec Sophie.

Les garçons sortent en courant, ignorant Sophie et ses consignes d'usage.

— Tu veux jouer à la marelle ? demande Sophie en se tournant vers Claire.

— Oh oui ! Margot ne joue plus jamais à la marelle avec moi.

— Bon, d'accord. Allons chercher une craie.

Dans l'allée de garage, Sophie entreprend de tracer les cases du jeu de marelle.

— Non, non, Sophie. Ce n'est pas bien comme ça, dit Claire en indiquant une ligne qui n'est pas tout à fait droite.

Sophie ne s'impatiente pas. Claire est très exigeante et il faut toujours que les choses soient faites à son goût.

— D'accord, répond Sophie. Je vais la réparer et toi, tu pourras inscrire les nombres dans les cases.

Claire est très intelligente et connaît déjà les chiffres. Elle s'exécute donc avec joie tandis que Sophie continue de tracer les cases. Lorsque le dessin est terminé, il faut attendre que Claire trouve un caillou « chanceux » pour elle et un autre pour Sophie. Ensuite, Claire fait *Ma petite vache a mal aux pattes* pour déterminer qui jouera en premier.

Finalement, elles commencent à jouer. Sophie lance son caillou et saute à cloche-pied jusqu'au « ciel », puis revient. Naturellement, elle a fait semblant de glisser pour que son tour ne dure pas éternellement. À Claire maintenant. Celle-ci lance son caillou. Il ne tombe pas dans la case visée. Elle veut donc le lancer de nouveau mais Sophie s'objecte. Claire se met à sautiller sur les cases. Hop, hop... BOUM! C'est la chute. Une fraction de seconde plus tard, c'est le drame.

Sophie se précipite et examine le genou que Claire tient en pleurant. Ce n'est pas du cinéma. Elle a les deux genoux et la paume d'une main écorchés.

Dans la cour, les triplets sont si absorbés par leur partie de balle qu'ils n'ont même pas entendu les pleurs de Claire.

— Antoine! Joël! Bernard! crie Sophie, je rentre avec Claire pour nettoyer ses blessures. Ne sortez pas de la cour sans m'aviser. Compris?

Ceux-ci répondent par trois hochements de tête sans interrompre leur jeu. Sophie prend Claire dans ses bras et la transporte jusqu'à la salle de bains. Ensuite, elle nettoie délicatement les écorchures pendant que Claire lui donne ses directives en sanglotant.

— Il faut mettre de la crème antibotique et un dachylon, dit la petite.

Comme l'opération demande toute son attention, elle a presque oublié son mal. Lorsque Sophie applique le diachylon, ses sanglots ne sont plus que des reniflements.

Soudain, un fracas se fait entendre. CRAC! Bon, les triplets ont réussi à casser quelque chose! Sophie se précipite dehors, Claire sur les talons.

Les trois garçons sont rassemblés devant l'une des fenêtres du sous-sol. Les gants et le bâton de base-ball sont empilés par terre, mais la balle est disparue.

— Bon, fait Sophie, les mains sur les hanches, lequel de vous trois est l'auteur du méfait?

Les triplets échangent un regard et se tournent vers Sophie en hochant la tête.

— Qu'est-ce que ça veut dire? interroge Sophie. Je vous ai seulement demandé qui était le coupable.

— On a vu un film l'autre jour, dit Bernard. *Les Trois Mousquetaires*. Tous pour un… commence-t-il.

— … et un pour tous, clament Joël et Antoine.

— On a décidé de faire comme eux. On ne dénoncera plus jamais un de nos frères, déclare Joël.

— Ouais, ajoute Antoine. On forme une équipe.

Sophie roule les yeux. Ensuite, elle ramasse les éclats de verre en demandant aux enfants de ne pas s'approcher. Madame Picard revient bientôt et Sophie lui annonce qu'il lui manque un carreau au sous-sol. En entendant parler des trois mousquetaires, madame Picard roule les yeux à son tour. Puis, elle va interroger les triplets elle-même.

Les trois restent muets comme des carpes.

— Écoutez, les garçons. Normalement, je n'en ferais pas de cas. Mais c'est le *quatrième* carreau que vous brisez en trois mois. Ça ne peut plus continuer. Puisque vous ne voulez pas me dire qui est le coupable, je vais vous punir tous les trois. Interdiction de sortir de la maison jusqu'à ce que vous vous décidiez à parler. Et en plus, vos allez payer le carreau à même vos allocations.

Un châtiment aussi sévère devrait convaincre les triplets d'abandonner leur pacte. Mais non. Ils se regardent en silence et battent en retraite dans leur chambre.

Au moins, songe Sophie en les voyant s'éloigner, on peut dire qu'une gardienne ne s'ennuie jamais chez les Picard !

CHAPITRE 6

Pendant que Sophie ne s'ennuie pas chez les Picard, moi, je me morfonds dans ma chambre. Je ne fais pas de devoirs. Je ne travaille pas à mon collage. Je ne lis pas de roman policier. Je n'écoute pas la radio. Je ne grignote même pas.

Je réfléchis. Du moins, j'essaie de comprendre ce qui est arrivé cet après-midi. Comment vais-je réussir à convaincre les autres de mon innocence?

J'entends Josée rentrer, mais je ne vais pas la retrouver. Je ne suis pas prête à parler de mon problème. Heureusement, au lieu de monter à sa chambre pour travailler à l'ordinateur, elle commence à préparer le souper. Quelques minutes plus tard, maman arrive. Elle et Josée sont en train de bavarder quand le téléphone sonne. Est-ce le directeur qui appelle mes parents pour leur dire que leur fille est une tricheuse? Je ne veux même pas le savoir.

Bientôt, j'entends les voix de maman et de Josée.

Cette fois, la discussion semble plus sérieuse. Papa rentre à son tour et va retrouver ma mère et ma sœur à la cuisine. La discussion se poursuit.

Qu'est-ce qui se passerait si je restais dans ma chambre jusqu'à la fin de mes jours ? Je ne mourrais pas de faim avec toute la bouffe que j'ai cachée partout. Et puis je pourrais m'occuper en lisant des romans policiers et en travaillant à des projets d'arts plastiques. Plus j'y pense et plus je trouve cette idée séduisante. Ouais, c'est un bon plan.

— Claudia ! crie maman. Le souper est prêt.

Je ne réponds pas.

— Claudia, chérie, crie-t-elle cinq minutes plus tard. Nous avons des tacos au menu.

Des tacos ? Mmmmm. C'est un de mes plats préférés. Rien que d'y penser, mon estomac se met à gargouiller. Ce n'est peut-être pas une si bonne idée de rester dans ma chambre jusqu'à la fin de mes jours après tout.

— J'arrive !

Je m'assois au moment où Josée sort de la cuisine avec une assiette remplie de tacos. Les autres bols contenant du fromage râpé, des tomates, des oignons, de la crème sure et de la laitue sont déjà sur la table. Miam ! Je prends un taco et je commence à le garnir. Tout le monde est occupé à faire de même.

Juste comme je m'apprête à mordre dans ce délice, maman me coupe l'appétit.

— Claudia, chérie, dit-elle. J'ai reçu un appel du directeur de l'école aujourd'hui. Veux-tu nous donner ta version des faits ?

— Je… je ne sais pas quoi dire. Je n'ai rien fait de mal, dis-je, la gorge serrée.

— Nous voudrions te croire, Claudia, dit mon père.

Ils *voudraient* me croire? Même mes propres parents me prennent pour une tricheuse. Pendant que je fais des efforts désespérés pour refouler mes larmes, Josée intervient.

— Moi je la crois. Il n'y a aucun doute. Claudia connaissait sa matière à fond. Je l'ai aidée à étudier, vous vous souvenez? De plus, Claudia n'est *pas* une tricheuse, ajoute-t-elle en regardant mes parents tour à tour.

Ceux-ci échangent un regard. Puis maman se lève et vient m'embrasser.

— Je suis vraiment désolée, ma chérie, dit-elle en me serrant très fort contre elle. Josée a raison. Comment puis-je avoir douté de toi? Tu sais, ajoute-t-elle en reprenant sa place, le directeur ne semblait pas vraiment convaincu, lui non plus. Il a simplement dit qu'il voulait nous mettre au courant de la situation

— Je crois que nous devrions aller le rencontrer afin de faire la lumière sur cette affaire, suggère papa.

C'est bien la dernière chose que je veux. S'ils s'en mêlent, ça va seulement me compliquer la vie. Je dois régler cette affaire moi-même.

— Non, papa. Ce ne sera pas nécessaire. Je te remercie, mais je préfère m'en occuper.

— Mais, Claudia, le directeur a ajouté que monsieur Poitras va te donner un E pour cet examen, dit maman. As-tu pensé à ta note finale?

Un E? Incroyable! Pour une fois que j'étudie et que je mérite un A-, je me retrouve avec un E.

— Ne t'inquiète pas, maman. Je vais régler ça, dis-je en montrant beaucoup plus d'assurance que j'en ai en réalité.

Car au fond, je suis inquiète. Il me faudra obtenir des A pour tous les autres travaux et examens si je ne veux pas échouer le cours. Et si j'échoue mes maths, je serai obligée de laisser tomber l'une des choses les plus importantes de ma vie: le Club des baby-sitters. Mes parents ne m'autoriseront pas à rester membre du Club en cas d'échec.

Je suis incapable de manger. Mes parents ont dit qu'ils me croyaient, mais je ne suis pas à l'aise. Je suis certaine qu'ils ont quand même un doute. Je les ai probablement déçus. Et ça, c'est insupportable.

Une fois le repas terminé, je fais la vaisselle avec Josée. Nous parlons peu, mais de temps à autre, je lui jette un regard reconnaissant. C'est bizarre. Ça n'a pas toujours été l'entente parfaite entre Josée et moi, mais elle reste ma grande sœur. Lorsque la cuisine est propre comme un sou neuf, je monte à ma chambre. Je suis encore sous le choc et j'ai besoin de réfléchir à ce que je vais faire. Mais Josée me suit et entre avec moi.

— Claudia, dit-elle en s'assoyant à mon bureau, tout va s'arranger. Tu sais, ça me fera plaisir de t'aider à étudier tes maths jusqu'à la fin de l'année. Si nous travaillons très fort, tu n'échoueras pas le cours, même avec ce E!

— Mais Josée, ce n'est pas juste! dis-je. J'ai eu A- pour cet examen!

Josée est complètement stupéfiée. Je suppose que le directeur a négligé de dire quelle était ma note réelle.

— Félicitations, Claudia! s'écrie Josée avec un large sourire. Je savais que tu réussirais.

— J'ai réussi, mais Isabelle a tout gâché.

— Isabelle? Qui est Isabelle?

Je raconte alors à Josée, en détail, la scène qui s'est déroulée à la fin du cours, cet après-midi.

— Mais Claudia, tu ne t'es pas défendue?

— J'ai essayé, mais monsieur Poitras ne m'en a pas laissé l'occasion. Tu vois, il a examiné mon dossier et il a tiré ses propres conclusions. C'est la parole d'Isabelle contre la mienne.

— Quel gâchis, fait Josée en secouant la tête.

— Je sais, et le pire, c'est que je suis certaine qu'Isabelle a triché. Ce que je ne comprends pas, c'est pourquoi elle a fait ça. Et puis, je n'ai aucun moyen de le prouver.

— Réfléchis, dit Josée. Repense à la journée de l'examen. L'as-tu vue regarder sur ta feuille?

Je ferme les yeux. J'ai beau me concentrer, je ne me souviens de rien, sauf de la façon dont j'étais vêtue ce jour-là.

— Ça ne sert à rien, Josée, dis-je complètement découragée. Je ne vois pas comment je pourrai me sortir de ce pétrin.

— Sais-tu pour quelle raison Isabelle aurait triché?

— C'est ça qui est le plus bizarre. Elle obtient généralement de bonnes notes. Il se passe quelque chose de pas catholique.

Nous discutons encore pendant un bon moment, sans trouver de solution. Pour l'instant, le seul plan d'action que nous avons établi se résume à ceci: étudier, étudier et étudier. J'ai accepté l'offre de Josée, mais je ne peux pas dire que ça m'enchante.

Plus tard, je téléphone à Sophie et je lui raconte ce qui est arrivé. Elle m'écoute avec sympathie, mais rien de ce qu'elle me dit ne réussit à dissiper l'horrible sentiment que je ressens.

La confrontation avec monsieur Poitras est l'une des plus pénibles situations que j'ai vécues. C'est très humiliant de se faire accuser de tricherie. En plus, je suis dégoûtée de savoir que je vais me retrouver avec un échec alors que j'ai obtenu A-. Et puis je me sens coupable de monopoliser le temps de Josée. Elle a ses études, elle aussi.

Mais le pire de tout, c'est de sentir que mes parents ne sont pas *réellement, complètement et profondément* convaincus de mon honnêteté.

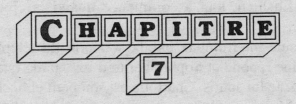

CHAPITRE 7

— Comment a-t-il pu se montrer aussi injuste ! s'exclame Jessie.

— Ce qui me dégoûte le plus, c'est qu'il ne t'a même pas laissé la chance de t'expliquer ! fait Sophie, assise à califourchon sur ma chaise.

Ainsi que vous pouvez le voir, tout le monde est au courant de ce qui m'arrive.

— À l'ordre ! dit Christine.

Comme d'habitude, elle est installée dans mon fauteuil, coiffée de sa visière. Il est dix-sept heures trente, la réunion doit commencer.

— Nous avons manifestement un problème sur les bras. Mais d'abord, on va régler les affaires du Club, déclare-t-elle.

Nous avons un problème ? Je croyais que c'était le mien.

J'aurais bien dû me douter que mes amies ne me laisseraient pas tomber. Ça fait chaud au cœur de savoir

51

qu'elles m'appuient. Pendant que Christine voit aux affaires du Club, je passe un sac de Smarties à la ronde.

— Bon, Claudia, raconte-nous ce qui s'est passé hier, point par point.

— Eh bien, tout a commencé quand la cloche a sonné…

Je suis interrompue par la sonnerie du téléphone. Christine répond et Sophie hérite d'une garde chez les Jasmin. Je lui souris. Charlotte est son petit chouchou.

— Monsieur Poitras nous a appelées, Isabelle et moi. Je n'avais aucune idée de ce qu'il voulait.

Encore le téléphone. Madame Biron a besoin d'une gardienne pour Matthieu et Hélène. Anne-Marie consulte l'agenda et la garde est attribuée à Jessie. C'est elle l'experte en langage des signes. Voyez-vous, Matthieu est sourd et chaque fois que Jessie est libre, c'est elle qui a la priorité pour garder les jeunes Biron.

Je poursuis mon histoire sans oublier le moindre détail. Après trois autres téléphones, j'arrive à la fin.

— Pourquoi monsieur Poitras a-t-il été aussi mesquin ? demande Marjorie avec colère.

— Il se base sur des suppositions et non sur des faits. Et ça c'est inacceptable, proteste Diane.

— Tu sais, Claudia, intervient doucement Anne-Marie, même si tu as effectivement copié sur Isabelle, nous ne te laisserons pas tomber.

Je la regarde, ébahie. Je n'en crois pas mes oreilles.

— Si tu as triché, il vaut mieux l'avouer. Après, tu te sentiras soulagée et ça ne changera pas nos sentiments à ton égard.

Silence. Toutes sont stupéfaites. Christine prend finalement la parole.

— Anne-Marie! Comment peux-tu dire une chose pareille? Tu es devenue folle? Évidemment que Claudia n'a pas triché!

Anne-Marie nous regarde une à une. Puis elle fond en larmes.

— Ça va, Anne-Marie, dis-je en mettant mon bras sur ses épaules. Je suis touchée par ta loyauté, mais je préférerais ta confiance.

— Je te crois, je te crois, clame Anne-Marie en séchant ses larmes. Je voulais juste... que tu saches que ça ne changerait rien pour nous si...

— Ça suffit, Anne-Marie, coupe Christine. On a compris. Examinons tous les éléments un à un. Il faut trouver un moyen de prouver l'innocence de Claudia.

— Mais pourquoi Isabelle aurait-elle triché? demande Sophie. Elle a toujours de bonnes notes. Pourquoi courir le risque de se faire prendre?

— Oublions Isabelle pour l'instant, dit Christine. Concentrons-nous plutôt sur monsieur Poitras. Comment lui faire comprendre qu'il commet une erreur en condamnant Claudia sans preuve?

— Mes parents voulaient aller rencontrer le directeur, mais j'ai refusé, dis-je.

— Parfait. Ce sera mieux si nous éclaircissons ce mystère nous-mêmes, décrète Christine. Josée a-t-elle une idée? Elle pourrait peut-être nous aider à trouver une solution.

Je fais signe que non. Hier soir, nous avons examiné

le problème sous toutes ses coutures. Le téléphone sonne de nouveau. Christine répond.

— Claudia? demande-t-elle en couvrant le récepteur avec sa main. Veux-tu garder les petites Seguin, vendredi? Elles t'ont demandée.

C'est gentil de la part de Christine. Ordinairement, nous attribuons les engagements de façon équitable et nous essayons de ne pas laisser nos jeunes clients s'attacher à une gardienne en particulier.

— Bien sûr, dis-je.

Christine confirme ma présence à madame Seguin et raccroche.

— Tu n'as pas l'air très enthousiaste, remarque Christine.

— C'est que... c'est que j'ai peur que mes parents m'obligent à quitter le Club si j'échoue mon cours de maths.

Ma déclaration est accueillie par un silence de mort.

— Bon, c'est le comble! explose Diane. On va éclaircir cette affaire ou je ne m'appelle pas Diane Dubreuil. Il n'est pas question qu'on te perde comme membre.

— Réfléchis, Claudia, exhorte Jessie. Y a-t-il un moyen de prouver que c'est Isabelle qui a triché?

— Mais c'est justement là le problème, dis-je. Monsieur Poitras s'est peut-être trompé. Ce n'est peut-être qu'une coïncidence si Isabelle et moi avons fait les mêmes erreurs.

— Non, Claudia, fait Sophie en secouant la tête. Il a raison. Il est tout à fait possible de manquer les mêmes problèmes, mais il n'y a pas une chance sur un million que vous arriviez toutes les deux aux mêmes mauvaises réponses.

— C'est ce que monsieur Poitras nous a fait remarquer, dis-je.

Sophie est très forte en maths. Si elle dit la même chose que monsieur Poitras, ça doit être vrai.

— Vous savez, Isabelle et ses amies sont dans la même classe que moi, signale Diane. Et je les ai trouvées plutôt bizarres ces derniers temps.

— Tu as raison ! s'écrie Anne-Marie. (Elle est dans la même classe que Diane.) Elles n'arrêtent pas de se passer des petits billets.

— En parlant des amies d'Isabelle, avez-vous vu la nouvelle permanente de Jocelyne Tardif ? demande soudain Diane.

— J'ai entendu dire que sa mère lui écrit une note pour la faire dispenser de ses cours quand elle doit aller chez le coiffeur. Vous rendez-vous compte ? lance Christine.

— Revenons à nos moutons, les filles, intervient Anne-Marie. Comment allons-nous prouver qu'Isabelle a triché et que Claudia est innocente ?

Le téléphone sonne alors et Sophie répond. Marjorie accepte une garde chez les Mainville et une fois que tout est consigné dans l'agenda, Diane, qui a l'air songeuse depuis quelques minutes, propose quelque chose.

— Vous savez, dit-elle, le casier d'Isabelle est juste à côté du mien.

— Et alors ? demande Christine.

— Je me demandais… Voyez-vous, il serait fort possible que l'un des billets qu'elle fait circuler dans son groupe d'amies contienne des indices compromettants au sujet de son examen.

— Et puis? fait Christine, impatiente.

— Eh bien, figurez-vous que je connais la combinaison du casier d'Isabelle. Il y a eu un mélange au début de l'année et on m'a attribué ce casier pendant quelques semaines.

— Diane Dubreuil! s'écrie Anne-Marie. Es-tu en train de suggérer une *effraction*?

— C'est un idée comme une autre, répond calmement Diane.

— Je n'aime pas tellement ça, dit Sophie. Je pense qu'on commettrait un délit, non?

— Pas vraiment, rétorque Diane. Il n'est pas question de *voler* quelque chose. Il s'agit seulement de chercher des preuves.

— Il ne faut pas un mandat de perquisition pour faire ça? demande Marjorie.

— Tu regardes trop d'histoires de détectives à la télé, dis-je. Diane parle de chercher des billets dans un casier, pas l'arme d'un crime. Je pense que ça pourrait marcher, ajouté-je, de plus en plus attirée par cette idée.

— Eh bien, on peut y penser, conclut Christine. Mais il doit y avoir un autre moyen — un moyen plus sûr — de prouver qu'Isabelle a triché à l'examen.

Christine a probablement raison. Malheureusement, personne n'a eu d'éclair de génie lorsque la réunion prend fin.

CHAPITRE 8

Jeudi.

Marjorie, fais-moi une faveur, veux-tu?

Quoi donc, Jessie?

Lorsque je serai en âge d'avoir des enfants, rappelle-moi de ne jamais avoir de triplets.

Compte sur moi, Jessie.

Je ne peux pas blâmer Jessie. Elle a eu un après-midi assez difficile avec Joël, Antoine et Bernard. Elle et Marjorie gardent les jeunes Picard. (Madame Picard demande toujours deux gardiennes quand tous les enfants sont à la maison.)

— Les triplets n'ont pas le droit de sortir, avertit madame Picard. Ils peuvent sortir de leur chambre, mais pas de la maison. Ils n'ont pas le droit non plus de faire ou de recevoir des appels.

— Ils refusent toujours de dénoncer le coupable? demande Jessie.

— Exactement. Je ne peux pas croire qu'ils demeurent aussi loyaux, dit madame Picard. Je déteste les punir de la sorte parce que, au fond, cette loyauté est une bonne chose en soi. Mais je dois me montrer conséquente avec eux. De toute façon, ça ne peut plus durer longtemps.

Jessie hoche la tête en signe d'assentiment. Cependant, elle a un plan qui, elle l'espère, lui permettra peut-être de faire passer les triplets aux aveux.

— Bon, je m'en vais. Marjorie et les enfants sont en train de goûter à la cuisine. Au revoir.

À la cuisine, c'est le chaos. Marjorie est plantée au milieu de la pièce comme un agent de la circulation débordé. Margot et Claire se tordent de rire en donnant des raisins à Nicolas qui fait semblant d'être un monstre.

— Miam, fait celui-ci. Frankenstein aime beaucoup les yeux de serpent. Encore!

Indécise, Vanessa contemple l'intérieur du réfrigérateur en faisant des rimes.

— Fruits, lait ou jus, qu'est-ce qui me plaît le plus?

— Vanessa, oublie les poèmes et ferme la porte du frigo, dit Marjorie. Tu sais bien que maman ne veut pas qu'on laisse la porte du frigo ouverte pour rien.

— *Tu sais bien que maman ne veut pas qu'on laisse la porte du frigo ouverte pour rien,* répète Antoine d'une voix aiguë.

— Oh, ça suffit, lance Marjorie avec impatience.

La punition des triplets semble avoir des conséquences pour toute la maisonnée.

— *Oh, ça suffit!* répètent les trois garçons en chœur.

Marjorie jette un regard furieux aux triplets. Assis sur le comptoir, ceux-ci se balancent les jambes et donnent des coups de talon sur les portes d'armoire en grignotant leur sandwich au beurre d'arachides et à la confiture.

— J'ai dit assez! Et descendez de là, crie Marjorie.

— *J'ai dit...* commencent les triplets avant d'être interrompus par Jessie.

— Ça va, les gars, dit-elle. Venez vous asseoir à table et arrêtez vos pitreries.

Je ne sais pas pourquoi, mais les triplets obéissent sans mot dire et vont prendre leur place à table. Marjorie et Jessie échangent un regard tandis que Marjorie pousse un soupir de soulagement. Au même moment, le téléphone sonne et Vanessa décroche.

— C'est pour toi, Antoine. Un de tes amis aimerait savoir si tu veux aller jouer au base-ball.

— Si je veux jouer au base-ball!? crie Antoine en plongeant vers le téléphone.

— Minute papillon! intervient Marjorie. Premièrement, tu n'as pas le droit de sortir. Deuxièmement, tu
n'as pas le droit de parler au téléphone.

— Et troisièmement, tu es stupide, souffle Antoine.

Marjorie le dévisage. On sent qu'elle va bientôt
exploser.

— Marjorie, qu'est-ce que tu dirais de sortir dans la
cour avec les plus jeunes? Je vais rester à l'intérieur
avec les triplets, suggère Jessie.

— Super! s'exclame Marjorie. Ça fait des jours
qu'ils sont comme ça. Je ne peux plus les supporter. On
dirait des bêtes en cage!

Elle sort donc avec Nicolas, Claire, Margot et Vanessa sans demander son reste. Jessie s'occupe de ranger la
cuisine qui a l'air d'une zone sinistrée pendant que les
triplets regardent leurs cartes de base-ball pour la millio-
nième fois.

— Nnis-de Nez-ti-mar est el leur-meil, décrète Joël.

— Non, c'est sap raiv. El leur-meil c'est Do-nan-fer
La-zue-len-va, proteste Antoine.

— Ej re-fè-pre Chael-mi Dan-jor, déclare Bernard.

— De-pi-stu, Chael-mi Dan-jor ne ouej sap au ball-
sabe, rétorque Joël. Il ouej au sket-ba.

— Ah, ons-bli-ou ces tes-car. J'en ai sez-as de er-jou
vec-a. Yons-essai tôt-plus de soun ler-fi-fau à rieur-té-
l'ex, suggère Antoine.

Jessie choisit ce moment pour surgir dans la pièce.
Elle commence à être fatiguée de les entendre parler « à
l'envers » et elle n'aime pas la façon dont Joël a répondu
à Bernard. Il est plus sensible que les deux autres et il

n'en faut pas beaucoup pour le blesser. De plus, il n'est pas question qu'elle laisse les trois garçons filer à l'anglaise.

— Ël-jo, ce n'est sap til-gen de ter-trai ton re-frè de de-pi-stu. Se-cu-ex toi.

Les trois garçons fixent Jessie avec surprise.

— Tu sais parler à l'envers ? demande Antoine.

— Je parlais tout le temps comme ça quand j'étais plus jeune. Mais à la longue, je trouvais ça plate.

— Ouais, nous aussi, on est fatigués de parler comme ça. Mais on a besoin d'un code secret pour que les autres ne comprennent pas ce qu'on dit.

— Beaucoup de gens savent parler à l'envers. C'est très répandu. Mais wa pas wu-tout wa-le wa-mon-wa-de wa-sait wa-par-wa-ler en wa-wa-wa-wa-nais.

— Quoi ? font les triplets.

— C'est du wawanais, dit Jessie en souriant.

— Montre-nous comment parler en wawanais ! demande Joël.

— S'il te plaît, s'il te plaît ! supplient Antoine et Bernard.

— C'est très simple, fait Jessie en s'assoyant par terre avec les garçons. Il suffit d'ajouter « wa » devant chaque syllabe. En wawanais, mon nom se prononce wa-jes-wa-sie.

— Wa-an-wa-toine, fait Antoine.

— Tu l'as, dit Jessie. Wa-c'est wa-aus-wa-si wa-sim-wa-ple wa-que wa-ça.

— Dis mon nom, Jessie, demande Bernard.

— Wa-ber-wa-nard, répondent Jessie, Antoine et Joël ensemble.

— C'est drôle ! rigole Bernard.

Jessie peut être fière d'elle. Elle a réusssi à distraire les triplets tout en les empêchant de faire des mauvais coups. Ravis par ce nouveau jeu, ils complotent en vue de parler wawanais au souper pour agacer tout le monde. Comme ils semblent maintenant de meilleure humeur, Jessie se dit qu'ils seraient peut-être disposés à parler du carreau brisé.

— Alors, les gars, ça vous dirait d'aller dehors ? demande-t-elle. Vous n'avez qu'à me dire lequel de vous trois a brisé le carreau.

Silence.

— Allons, ce n'est pas la fin du monde. Voulez-vous passer le reste de votre vie dans la maison ?

Pas de réponse. Jessie essaie une autre tactique.

— Dis-moi, Bernard, quand tu as lancé la balle dans la fenêtre...

— Ce n'est pas moi ! proteste aussitôt Bernard.

— Ha, ha ! s'écrie Jessie.

— Ce n'est pas moi non plus ! crient Antoine et Joël d'une même voix.

Frustrée, Jessie renonce. Tans pis pour eux. Ce n'est pas *son* problème si les triplets veulent rester en pénitence jusqu'à quatre-vingt-douze ans !

CHAPITRE 9

Ce matin, les cours n'en finissent plus de s'étirer. Je suis incapable de me concentrer. Je ne pense qu'à mon problème et à la façon de le résoudre.

En me dirigeant vers la cafétéria, j'aperçois Isabelle Courchesne qui marche devant moi. Elle est avec Jocelyne Tardif et une autre fille à la crinière rousse. Elles parlent à voix basse et pouffent de rire de temps à autre. On dirait trois conspiratrices. Sans trop savoir pourquoi, je les suis.

Elles sont sur le point d'entrer à la cafétéria quand Isabelle s'arrête et désigne les toilettes d'un geste de la main. Les trois filles disparaissent à l'intérieur. Indécise, je reste devant la porte pendant une trentaine de secondes. Que ferait Miss Marple à ma place? Pas de doute, elle les suivrait. J'ouvre doucement la porte et je jette un coup d'œil à l'intérieur.

Trois des quatre cabines sont occupées par Isabelle et ses amies. Rapidement, avant de changer d'idée, je me faufile sans bruit dans la quatrième.

L'une des filles sort peu après de sa cabine et se dirige au lavabo. L'eau coule pendant une minute, puis la fille se met à parler.

— Isabelle, je n'en reviens pas de la chance que tu as, dit-elle en faisant claquer sa gomme.

— Je sais, répond Isabelle en sortant de sa cabine. Je me demande encore comment j'ai réussi à m'en tirer. J'ai simplement regardé monsieur Poitras droit dans les yeux en lui disant que je n'avais pas l'habitude de tricher et cette espèce de cornichon a marché !

Je n'en crois pas mes oreilles ! Soudain, je suis terrifiée à la pensée qu'elles puissent découvrir que je les espionne. Retenant mon souffle, je continue tout de même à écouter.

— Et le plus beau de l'affaire, ajoute Isabelle, c'est que je ne me sens même pas coupable. Qu'est-ce que ça change pour elle, si tu comprends ce que je veux dire.

— Ouais. Une mauvaise note de plus ou de moins pour Claudia Kishi, y a rien là. Elle en a l'habitude, lance Jocelyne Tardif en pouffant de rire.

Je suis furieuse. Comment osent-elles parler de moi ainsi ? Comme l'autre jour en classe, je sens le rouge me monter aux joues. Je vais leur dire ma façon de penser ! Elles vont avoir la surprise de leur vie en me voyant surgir de ma cabine.

Mais quelque chose me retient. C'est comme si Miss Marple me murmurait à l'oreille : «Reste-là, Claudia. Tu vas peut-être en apprendre davantage.» Oui, c'est vrai. Elles vont peut-être dire quelque chose qui me permettra de prouver mon innocence. Je respire à fond et, doucement, je m'étire le cou pour regarder par la fente entre la porte et la cloison de la cabine. Isabelle et ses amies parlent devant le miroir en prenant des airs de vedettes de cinéma. Jocelyne Tardif sort une canette de fixatif de son sac à main et apporte quelques retouches à sa permanente.

— Vous savez, dit Isabelle, si j'ai agi ainsi c'est parce que je n'avais pas le choix. Je n'ai jamais triché auparavant.

— Je sais, répond Jocelyne, mais on ne peut pas demander à quelqu'un d'avoir de bonnes notes en plus de faire tout ce que tu fais.

— J'avais trop d'activités en marche, de dire Isabelle. La pièce de théâtre, la chronique pour le journal étudiant...

— Sans compter l'organisation de La Course au trésor, dit la rouquine. Comment aurais-tu trouvé le temps de te préparer pour ce stupide examen de maths? Ils te prennent pour SuperIsabelle ou quoi?

Je roule les yeux. Pauvre petite Isabelle qui est trop occupée parce qu'elle est trop populaire! Non, mais elles vont me faire pleurer si ça continue.

— J'ai tout de suite réalisé que j'avais une chance inespérée en entendant Claudia dire à Anne-Marie Lapierre que sa sœur Josée-la-bolée l'aidait à étudier, avoue Isabelle.

— Ouais, tout le monde sait que Josée est un vrai génie. Mais qui pourrait te soupçonner d'avoir copié sur Claudia Kishi? C'est le crime parfait! glousse Jocelyne.

C'est le bouquet! Non seulement, elle a copié sur moi, mais en plus, elle a prémédité son méfait. Et le pire, c'est qu'elle s'en glorifie!

Finalement, les trois pimbêches sortent et je pousse un gros soupir. J'attends quelques secondes, puis je me précipite à la cafétéria, pressée de raconter cette conversation à mes amies.

Trop excitée pour manger, je les rejoins sans aller me chercher de repas au comptoir.

— Vous ne devinerez jamais ce que je viens d'entendre!

Anne-Marie et Louis interrompent leur conversation et lèvent la tête. Diane dépose son sandwich au tofu et à la luzerne et se tourne vers moi. Sophie et Christine sont tout ouïe. (Jessie et Marjorie ne mangent pas en même temps que nous.)

Je jette un œil pour m'assurer qu'Isabelle et ses amies ne sont pas autour, puis je leur relate toute l'histoire du début à la fin.

— L'espèce de... de sale tricheuse! bafouille Christine, indignée.

— Ça devait être horrible de les entendre parler contre toi, dit Anne-Marie, visiblement compatissante.

— Mais maintenant, tu as la preuve que tu cherchais, n'est-ce pas? fait Sophie en souriant.

— J'aimerais bien, mais même si je suis maintenant certaine qu'Isabelle a triché, je ne peux toujours pas le prouver. Si je rapporte cette conversation à monsieur

Poitras, ce sera ma parole contre celle d'Isabelle. Et on sait qui il croira.

— Claudia a raison, fait remarquer Louis.

Anne-Marie a dû le mettre au courant de ce qui m'arrive. Je suis contente de savoir que j'ai l'appui d'un autre de mes amis.

— Bon, Claudia a percé le mystère de la vraie tricheuse et du motif, intervient Diane, demeurée silencieuse jusque-là. Maintenant, il faut trouver un moyen d'aider monsieur Poitras et le directeur à débrouiller ce mystère à leur tour. Il y a toujours le plan que j'ai proposé l'autre jour. Vous savez… une petite fouille du casier d'Isabelle.

— Diane! fait Anne-Marie, scandalisée. Ne parle pas de ça ici. Quelqu'un pourrait t'entendre et te prendre au sérieux, chuchote-t-elle en regardant les tables voisines.

— Mais je suis sérieuse, répond Diane. C'est notre seule chance.

Tu n'y penses pas! rétorque Anne-Marie. C'est inconcevable.

— Je suis d'accord avec Anne-Marie, dit Sophie. Je ferais à peu près n'importe quoi, Claudia, pour t'aider à prouver ton innocence. Mais pas ça. Je pense que ça serait aller trop loin.

Ça m'embête un peu de l'avouer, mais je pense que Sophie n'a pas tort. Cependant, il n'y a pas trente-six solutions.

— Un instant, les filles, intervient Christine. Voulez-vous que Claudia soit forcée d'abandonner le Club?

67

— Oh! fait Sophie toute confuse. Je n'avais pas pensé à ça!

— Il est évident qu'on ne veut pas perdre Claudia, dit Anne-Marie. Mais il doit bien y avoir un meilleur moyen de la garder avec nous.

— Vous savez ce que dirait Guillaume dans une telle situation? demande Christine. «Aux grands maux, les grands remèdes!» déclare-t-elle en frappant du poing sur la table.

Je suis entièrement d'accord avec elle. Je regarde Sophie. Elle hoche la tête.

— Tu as raison, Christine, convient-elle. Nous n'avons pas le choix. Je suis prête à faire ce qu'il faut pour garder notre vice-présidente.

Diane affiche un large sourire, mais Anne-Marie n'est pas vraiment convaincue. Elle est surtout inquiète.

— Je crois que ce n'est pas correct, dit-elle. Mais si vous devez le faire, soyez prudentes. Imaginez les conséquences si vous vous faisiez prendre!

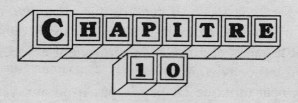

CHAPITRE 10

Je refuse de penser à ce qui pourrait nous arriver si on nous surprenait en train de fouiller le casier d'Isabelle. Pour chasser cette éventualité de mon esprit, je me lance dans la planification de «l'opération» avec mes quatre amies. Louis est déjà parti. Apparemment, il ne tient pas à être mêlé à cette affaire.

— Je sais que le comité social se réunit à quinze heures cet après-midi, dis-je. Jocelyne Tardif l'a mentionné lorsqu'elles étaient dans les toilettes.

— Parfait, rétorque Diane. À quinze heures, l'école est vide ou presque. Les élèves qui restent sont engagés dans des activités.

— Et les professeurs? demandé-je.

J'imagine monsieur Poitras me surprenant à fouiner dans le casier d'Isabelle.

— Même s'ils sont là, ils ne savent pas à qui appartient tel ou tel casier, répond Diane, nullement déconcertée.

— Monsieur Martel le sait, lui, fait remarquer Anne-Marie. Il est au courant de tout. (Monsieur Martel est le directeur adjoint.)

— Lui? Il est presque aveugle, réplique Diane en riant. De toute façon, il pensera que c'est *mon* casier. Nous n'avons qu'à ouvrir le casier d'Isabelle comme si c'était le mien, et à rire et bavarder tout en cherchant une pièce à conviction.

On peut dire que Diane n'a pas froid aux yeux. Je suis soulagée qu'elle ait décidé de fouiller elle-même le casier. Je ne suis pas vraiment à l'aise avec ce plan, même s'il représente ma seule chance.

— Et si Isabelle vous surprend? insiste Anne-Marie.

— Elle doit assister à la réunion du comité social, Anne-Marie, la rassure Christine.

— Mais elle pourrait avoir oublié quelque chose et revenir le chercher.

Hummm. Anne-Marie vient de soulever un point qui demande réflexion. Nous ne voudrions surtout pas être prises en flagrant délit par la propriétaire du casier.

— Pas de problème, fait Sophie. Je vais monter la garde à l'intersection des deux corridors. Si je la vois arriver, je vous avertirai.

— Super! dit Diane. Il y a aussi Jocelyne Tardif et la rouquine à surveiller.

La cloche indiquant la fin de la période de dîner retentit et nous nous dirigeons vers nos classes respectives. Cet après-midi, contrairement à ce matin, je ne vois pas le temps passer.

Après les cours, je rencontre mes amies à mon casier,

casier, tel que prévu. Marjorie et Jessie ont été mises au courant du plan et sont aussi excitées que nous.

— Vous devriez rentrer à la maison, vous deux, leur conseille Diane. Je ne veux pas que vous soyez mêlées à ça si on se fait prendre.

— C'est vrai, dis-je. Anne-Marie, rentre toi aussi. On te dira comment ça s'est passé.

— Bon plan, convient Sophie. Christine, il vaudrait mieux que tu partes avec les autres. Moins on sera, mieux ce sera.

Les filles s'en vont et il ne nous reste plus qu'à tuer le temps en attendant quinze heures. Plus simple à dire qu'à faire.

Les minutes s'écoulent lentement. Depuis que les autobus sont partis, les corridors sont presque déserts. Quelques élèves se dirigent seuls ou en groupes vers le gymnase ou l'auditorium. Nous restons devant mon casier pendant quelque temps. Puis, Sophie s'aperçoit qu'elle a oublié son veston et nous allons le chercher à son casier. En revenant, nous arrêtons à la fontaine pour nous désaltérer. Cela occupe quelques minutes. Ensuite, comme nous ne voulons pas attirer l'attention de monsieur Martel en flânant dans les corridors, nous nous dirigeons vers les toilettes. Là, je repense à toutes les méchancetés qu'Isabelle et ses amies ont dites sur mon compte. Pendant que la moutarde me remonte au nez, j'oublie ma nervosité. Finalement, il est quinze heures. Nous sortons des toilettes. Les corridors sont vides.

— Allons-y, déclare Diane. Sophie, à ton poste.

— Oui, mon général, répond Sophie en faisant claquer ses talons.

— N'oublie pas de venir nous avertir si tu aperçois Isabelle ou une de ses amies… ou monsieur Martel!

Sophie s'éloigne tandis que nous prenons la direction opposée. Quelques minutes plus tard, nous sommes devant le casier d'Isabelle. Diane regarde à gauche et à droite, compose la combinaison et tire sur la poignée.

Patatras! Le casier s'ouvre et une avalanche de cahiers, de feuilles et de livres tombent par terre.

— Qui est ce gars? demandé-je en ramassant la photo du plus beau mâle que j'aie jamais vu.

— Voyons, Claudia, ce n'est pas le temps de regarder les garçons. Vite, range ça avant que quelqu'un arrive.

Elle a raison. Tout en ramassant les feuilles qui sont pas terre, je jette un coup d'œil sur ce qui est écrit. Rien qui puisse nous intéresser.

— Regarde sur la tablette, commande Diane.

— Un maillot de bain, une brosse à cheveux, un vieil agenda… et ça, qu'est-ce que c'est? Ouach! Une vieille orange moisie!

— Chut! Quelqu'un vient.

Effectivement. On entend des bruits de pas qui se rapprochent. Diane fait semblant de chercher quelque chose dans son cartable tandis que je lui demande si elle a compris le devoir que nous devons faire en français.

Nous ne sommes pas dans le même cours de français, mais je doute que le concierge soit au courant. Il passe devant nous en poussant un petit chariot sans même nous regarder.

— Bon, plus de temps à perdre. Cherche quelque chose qui ressemble à un billet, dit Diane en fouillant dans le bas du casier pendant que j'examine l'intérieur de la porte.

On y trouve les accessoires habituels: miroir, affiches de vedettes… Tiens, qu'est-ce que c'est? J'aperçois un bout de papier plié et coincé dans l'un des orifices d'aération de la porte. Je le prends et je le déplie.

— Hé, Diane, écoute ça. «Félicitations pour ton A-. Qui aurait cru que la feuille de C.K. contiendrait autant de bonnes réponses?»

C.K. C'est moi! Voilà la preuve que nous cherchions. Je fourre le billet au fond de ma poche et Diane referme le casier. Nous courons rejoindre Sophie et nous nous adossons contre le mur pour reprendre notre souffle. Victoire!

Soudain, je pense à quelque chose. Le billet ne vaut absolument rien. Si je le montre à monsieur Poitras ou au directeur, ils voudront savoir où je l'ai pris. Et puis, rien ne les obligera à croire qu'il a été écrit par une amie d'Isabelle.

— Allez-y, dis-je à Sophie et Diane après leur avoir fait part de mon raisonnement. J'ai oublié un livre dans mon casier.

Lorsqu'elles ont quitté, je retourne au casier d'Isabelle et j'insère le billet dans l'orifice d'aération. Ce billet ne me sera d'aucune utilité et, en le remettant à sa place, j'ai la conscience plus tranquille.

Ma conscience est peut-être apaisée, mais mon moral, lui, est au plus bas. C'est l'impasse. Il semble que je vais devoir me résigner à accepter ce E.

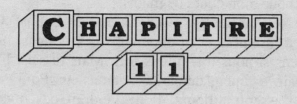

CHAPITRE 11

— Qu'est-ce que tu as fait? s'écrie Diane. Tu as remis ce billet dans le casier!

Nous sommes en train de dîner et Diane a raconté aux autres les menus détails de notre opération de la veille. Lorsqu'elle a terminé, j'ai expliqué comment et pourquoi j'ai remis le billet à sa place.

Après tout le mal qu'on s'est donné! fait Sophie. Oh, et puis, tu as probablement raison. Tu n'aurais pas pu l'utiliser sans t'incriminer toi-même.

— C'est vrai, dit Christine. Mais j'aurais aimé voir la tête d'Isabelle si tu l'avais confrontée avec ce billet!

— Tu as bien agi, me dit Anne-Marie en souriant. Je suis fière de toi.

— J'ai peut-être bien agi, dis-je, mais ce n'est pas le cas d'Isabelle. Et je dois toujours le prouver. Malheureusement, je n'ai aucune idée. Je suis coincée.

Pendant un long moment, personne ne dit mot. Il semblerait que tout le monde soit coincé. Misère!

75

— Et pour finir le plat, dis-je en rompant le silence, j'ai un autre examen de maths bientôt. Que se passera-t-il si je n'obtiens pas un A?

Je ne veux même pas penser à ce qui risque d'arriver si j'échoue mon cours de maths.

— Ne t'en fais pas, Claudia, me dit Sophie. On va étudier ensemble et tu obtiendras des A dans tous tes examens si nous travaillons fort. Mais tu sais, lors du prochain examen, demande à monsieur Poitras si tu peux t'asseoir ailleurs. Il ne faudrait pas que cette affaire se répète.

Elle a raison. Si Isabelle a triché une fois, rien ne l'empêchera de recommencer.

— D'accord, je lui demanderai. Mais nous ne savons toujours pas comment prouver que c'est Isabelle la tricheuse, et non moi.

— J'ai une idée! lance soudain Christine qui était silencieuse depuis quelques minutes. Vous rappelez-vous comment on a amené Célia Brunelle à se compromettre?

— Oui! s'écrie Diane. Lorsqu'elle jouait à être ton admirateur secret, on a réussi, à force de ruse, à lui faire avouer qu'elle était l'auteure de tous ces billets mystérieux.

— Et ce n'est pas la seule fois que nous l'avons prise au piège, intervient Anne-Marie. Rappelez-vous quand elle essayait de nous faire croire qu'on m'avait jeté un mauvais sort.

— Oui, oui! jubile Christine en se frottant les mains. Et ce qui a marché avec Célia devrait être aussi efficace avec Isabelle.

— Super, fait Sophie en souriant d'une oreille à l'autre. Nous allons laisser Isabelle faire elle-même la preuve de sa culpabilité.

— Il ne te reste plus qu'à trouver le moyen de la compromettre devant monsieur Poitras, conclut Anne-Marie au moment où la cloche sonne.

C'est lundi matin au tout début du cours de maths. J'ai passé pratiquement toute la fin de semaine à imaginer des façons de piéger Isabelle, mais sans succès.

Je décide finalement de la pousser aux aveux en lui faisant savoir, grâce à quelques mots bien placés, que j'ai compris son jeu.

— Oh! dis-je en ouvrant mon cahier. Je ne trouve pas ma *copie* du dernier devoir. (Ce disant, je regarde Isabelle.) Quelqu'un peut-il me prêter sa *copie*?

Isabelle me dévisage avec curiosité. Les autres élèves aussi.

— Isabelle, est-ce que je peux te *voler* ta *copie*? J'en ai vraiment besoin. Et c'est la vérité. Tu sais que je n'ai pas l'habitude de *mentir*.

Contrairement à ce que j'espérais, Isabelle ne craque pas en entendant ces mots. Elle continue à me fixer comme si je descendais de la planète Mars.

— Bien sûr, tu peux me l'emprunter. Mais je ne crois pas qu'on va en avoir besoin aujourd'hui, dit-elle.

Quelle déception! Isabelle ne comprend pas du tout le message, ou alors, cette fille-là n'a aucune conscience.

— Un moment, dit-elle en fouillant dans son cahier.

— Claudia! Isabelle! lance monsieur Poitras. Je ne voudrais surtout pas vous déranger. Êtes-vous prêtes à commencer?

— Oui, monsieur Poitras, dis-je, penaude.

— Oui, monsieur Poitras, répète Isabelle, en me tendant la feuille de devoir.

Comme je ne fais aucun geste pour la prendre, elle me jette un drôle de regard, secoue la tête et range sa feuille dans son cahier.

Retour à la case départ. Qu'est-ce que je pourrais bien faire? Monsieur Poitras parle de nombres entiers et d'autres choses encore plus incompréhensibles, mais je ne l'écoute pas. Je cogite. Comment prouver qu'Isabelle a copié sur ma feuille? Il faudrait d'abord démontrer que de sa place, elle peut lire ce que j'écris. Mais comment? Soudain, je pense à une affiche que j'ai déjà vue sur le pare-chocs d'un vieux tacot: «SI VOUS POUVEZ LIRE CECI, C'EST PARCE QUE VOUS ÊTES TROP PROCHE.»

Comme je n'ai pas pris de notes, j'ai devant moi une page blanche. J'inscris donc de mon écriture régulière, les mots suivants: «SI TU PEUX LIRE CECI, TU ES UNE TRICHEUSE ET TU FERAIS MIEUX DE L'AVOUER!» Il ne me reste plus qu'à attendre qu'Isabelle remarque ce qui est écrit dans mon cahier. Lorsqu'elle l'aura lu, elle deviendra rouge comme un radis et dira assurément quelque chose d'incriminant.

Mais il y a un petit problème. Contrairement à moi, Isabelle est très attentive et prend des notes avec application. Elle n'a donc pas de raison de copier. Il faut que j'attire son attention.

— Hum hum, dis-je assez fort.

Elle ne regarde même pas de mon côté. Je tambourine alors sur mon pupitre avec mon stylo. Pas de réaction. Elle est complètment absorbée dans ses notes.

— Pssssit, Isabelle, chuchoté-je.

Elle n'entend rien. Toutefois, j'ai capté l'attention d'autres élèves de la classe qui surveillent mon petit manège et se demandent probablement ce que j'essaie de faire. Tant pis, aux grands maux les grands remèdes, me dis-je. Étirant les bras au-dessus de ma tête, je me mets à bâiller.

— Claudia Kishi! gronde monsieur Poitras. C'est tout ce que tu as à faire?

— Désolée, monsieur, dis-je en lui adressant mon plus joli sourire.

— Je suppose que tu connais tout sur les nombres entiers et que tu n'a pas besoin de réviser cette matière avec le reste de la classe.

Zut!

— Oui, monsieur Poitras. Je veux dire, non, monsieur Poitras. Je vais être attentive. Je m'excuse.

Derrière moi, j'entends des rires étouffés. En me retournant, j'aperçois un garçon me pointer du doigt tout en se frappant le crâne pour signifier que je suis devenue folle. Je me dis alors que je ferais mieux d'abandonner. Comme aucun de mes plans ne fonctionne, aussi bien revenir à mes maths.

Je tourne une nouvelle page de mon cahier et je me

penche vers le pupitre d'Isabelle pour savoir où en est monsieur Poitras dans ses explications. Eurêka! Mais oui, pour prouver qu'elle a pu lire sur ma feuille, il me suffit de démontrer que je peux lire sur la sienne. Je me penche donc davantage afin de déchiffrer ce qu'elle gribouille avec tant d'ardeur: «J'ai entendu dire que Marisol avait dit à Vincent que quelqu'un d'autre voulait m'inviter...»

Ça alors! Isabelle ne prend pas de notes! Elle écrit des petits billets à ses amies! Wow! Et ça ne manque pas de piquant.

Je m'étire donc le cou un peu plus. Je suis tellement absorbée dans ma lecture que je ne vois même pas monsieur Poitras s'approcher. Il devait chercher à capter mon attention depuis déjà un bon moment car lorsque j'arrive enfin à la partie la plus intéressante des «notes» d'Isabelle, je sens une main sur mon épaule. Sursautant, je manque de tomber en bas de ma chaise.

— Claudia, dit simplement monsieur Poitras en secouant la tête.

Pétrifiée, je le regarde sans pouvoir prononcer une parole. Décidément, je n'ai pas de chance. Je me suis fait prendre en train de regarder sur la feuille d'Isabelle alors que j'essayais de prouver le contraire.

Heureusement, je suis sauvée par la cloche!

CHAPITRE 12

Mardi

Beaucoup d'excitation chez les Picard cet après-midi. En arrivant, j'ai su tout de suite que cette journée resterait dans les annales. Il faut dire que ce n'est jamais calme chez les Picard, mais j'étais loin de me douter de ce qui allait se passer...

Cet après-midi, Marjorie et moi gardons ses frères et sœurs, et les triplets sont d'une humeur massacrante. C'est à peine s'ils me disent bonjour. Ils refusent toujours de dire qui a brisé le carreau et sont toujours privés de sortie.

Ce qui les enrage le plus, ce n'est pas de ne pouvoir sortir, c'est d'être privés d'allocations. Sans argent de poche, pas de cartes de base-ball, pas de friandises, pas de bandes dessinées...

— Pas même une boule de gomme, se lamente Antoine.

Je compatis à leur misère, mais en tant que gardienne, il faut appliquer les règlements établis par madame Picard. Inutile de dire que les triplets en ont assez d'être cloîtrés, assez de regarder leurs collections de cartes, assez de parler en wawanais. Bref, ils en ont assez de tout. J'avoue que je ne suis pas trop fâchée lorsque Marjorie me suggère d'emmener les plus jeunes à l'extérieur.

Elle a une idée qui lui permettra peut-être de résoudre le problème des triplets. Je sors donc avec les plus jeunes et Marjorie va rejoindre les trois garçons au salon.

— J'ai une idée, les gars, dit-elle.

— Ouais ? fait Antoine.

— Et après ? de dire Joël.

— On ne veut plus rien savoir, lance Bernard.

— Bon, d'accord. Si ça ne vous intéresse pas de faire lever la punition et de récupérer vos allocations, oubliez ça, déclare Marjorie en se levant.

— Attends une minute ! crient le triplets d'une même voix avant de la supplier de leur faire part de son idée.

— Vous savez ces reconstitutions de crimes qu'on

82

voit souvent à la télé? Parfois, lorsqu'un crime est reconstitué, il devient évident que la personne que l'on soupçonnait le moins est le coupable que l'on cherchait. Que diriez-vous de reconstituer *votre* méfait?

Les garçons semblent sceptiques.

— C'est probablement votre seule chance, souligne Marjorie.

Les triplets échangent un regard.

— Comment faut-il procéder? demande Joël.

Marjorie leur explique qu'ils doivent faire tout ce qu'ils peuvent pour reconstituer le plus fidèlement possible les événements de la journée fatidique.

— Pensez à cette journée. Essayez de vous la rappeler dans ses moindres détails.

Les garçons réfléchissent un instant, puis se consultent à voix basse.

— Attends-nous ici, dit Antoine.

Ils montent tous les trois à l'étage et lorsqu'ils redescendent, Marjorie éclate de rire. Ils ont mis les vêtements qu'ils portaient le jour où le carreau a été brisé.

— C'est bien, les gars. Bon, je sais que maman vous a interdit de sortir, mais je crois qu'on peut enfreindre le règlement. Après tout, il est difficile de reconstituer le crime si on n'est pas sur les lieux même, n'est-ce pas?

Totalement d'accord, les garçons s'empressent de rassembler leur équipement de base-ball et suivent Marjorie dehors.

— Oups, j'ai oublié mon gant, dit Bernard, une fois rendu dans la cour.

Sur ce, il rentre dans la maison en courant.

— Il ne l'a pas vraiment oublié, déclare Joël. Il refait exactement ce qu'il a fait ce jour-là.

Marjorie roule les yeux. Il est évident que les triplets vont saisir tous les prétextes pour étirer l'expérience. Ils se souviennent même de toutes les blagues stupides qu'ils avaient échangées. Finalement, les garçons reconstituent leurs rôles respectifs et les événements qui ont mené à ce qu'on sait. Et, comme Marjorie me l'a dit par la suite, elle a compris que ce n'était pas la faute de l'un plus que de l'autre, mais plutôt un concours de circonstances.

Revenons donc à la « journée-du-carreau-brisé ». Joël était le lanceur, avec Bernard au bâton, et Antoine comme receveur. Il n'y avait donc personne au champ. Joël a lancé une balle haute, un peu à l'extérieur. Bernard s'est élancé alors qu'il aurait dû la laisser passer. La balle a frappé le bout du bâton et est partie en direction de la maison. Bernard a alors crié à Antoine de l'attraper, mais ce dernier a mal jugé la trajectoire de la balle et s'est mis à courir dans la mauvaise direction. Et la balle est allée fracasser le carreau. On connaît la suite.

Marjorie est grandement soulagée d'avoir découvert ce qui s'est produit. Quant aux triplets, ils semblent heureux du dénouement de cette affaire. Tous les quatre viennent me rejoindre et les sept enfants jouent dehors jusqu'à l'arrivée de madame Picard. Les triplets reconstituent alors la scène en présence, cette fois, de leurs frères et sœurs et de leur mère.

Madame Picard n'a pas besoin d'explication. Elle voit tout de suite que ce qui est arrivé l'autre jour était purement accidentel et que personne n'est vraiment responsable.

— Antoine, Joël, Bernard, je lève officiellement votre punition, annonce-t-elle.

Les triplets poussent des cris de joie et se tournent vers Marjorie.

— Merci, Marjorie ! jubile Bernard.

— Tu nous a sauvés ! lance Antoine.

— Tu es la meilleure ! déclare Joël en serrant sa sœur si fort qu'elle devient cramoisie.

La reconstitution a été un franc succès !

Ce soir, après le repas, je vais voir Josée dans sa chambre et je lui demande si elle a quelques minutes pour bavarder. Elle éteint aussitôt son ordinateur et écoute attentivement pendant que je lui raconte *tout* ce qui s'est passé à l'école.

Je lui rapporte la conversation que j'ai entendue dans les toilettes. Je lui dis que Diane et moi avons «effectué une vérification» du casier d'Isabelle. Je lui fais même mention de mes pauvres ruses en vue d'inciter Isabelle à avouer son «crime».

Josée écoute sans passer de commentaires. De temps à autre, elle pose une question ou hoche la tête. Ensuite, je lui parle de la reconstitution que Marjorie a organisée avec les triplets.

— Alors, crois-tu que ça pourrait marcher pour moi ? dis-je avec espoir.

— Qu'est-ce qui pourrait marcher ? demande Josée.

— Une reconstitution ! dis-je, tout excitée. C'est génial, non ? Je n'ai qu'à demander à monsieur Poitras de nous laisser reconstituer l'examen, Isabelle et moi. Il verra tout de suite ce qui s'est produit.

— Calme-toi, Claudia. Tu oublies un détail assez important. Isabelle n'aura qu'à garder les yeux sur sa copie. Je ne vois pas pourquoi elle ferait semblant de tricher !

Quelle idiote ! Comment ai-je pu oublier ce «détail» ? Il est bien évident qu'Isabelle ne se compromettra pas lors d'une reconstitution. Elle n'a même pas eu de scrupule à mentir à monsieur Poitras. Et je dois admettre qu'elle est bonne actrice. Elle l'a facilement convaincu qu'elle n'avait rien à se reprocher.

Quelle idée stupide ! Je crois que je dois me rendre à l'évidence : je n'arriverai jamais à prouver mon innocence.

— Cette histoire t'a beaucoup affectée, n'est-ce pas ? demande Josée.

Retenant mes larmes, je fais signe que oui.

— Ne t'inquiète pas, me dit-elle. Isabelle ne réussira pas à te faire passer pour une tricheuse.

Ce disant, elle arbore un sourire énigmatique, comme si elle avait un plan en tête. Malheureusement, je suis certaine que même ma grande sœur ne réussira pas à résoudre mon problème.

— Ça ne fait plus rien, maintenant, dis-je en haussant les épaules.

Je souhaite ensuite bonne nuit à Josée et je sors de sa chambre. Elle ne me répond pas et semble être dans un autre monde. Je parierais qu'elle ne s'est même pas rendu compte de mon départ.

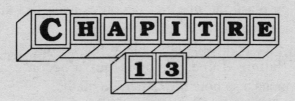

CHAPITRE 13

— Ça ne fait plus rien, maintenant.

C'est ce que j'ai dit à Josée et c'est aussi ce que je voudrais croire. En me forçant, j'arriverai peut-être à faire comme si ça ne m'affectait pas de passer pour une tricheuse. Et si je réussis à convaincre tout le monde que ça ne fait plus rien, je commencerai peut-être à y croire moi-même. Ainsi, je pourrai oublier cet épisode.

Ça ne fait rien ! Je m'en moque ! me dis-je en me brossant les dents. Ça ne fait rien ! Je m'en moque ! me dis-je en me lavant le visage. Je m'en moque ! Je m'en moque ! Je m'en moque ! me dis-je en me mettant au lit. Avant même de m'en rendre compte, je tombe endormie.

Au matin, je reste étendue dans mon lit à me demander ce que je vais porter pour aller à l'école. Voyons, quelle tenue traduirait le mieux ma nouvelle attitude ? À mon avis, une personne qui veut donner l'impression qu'elle se moque de ce qui lui arrive doit s'habiller avec éclat.

J'opte donc pour une jupe bleue à motifs de poissons tropicaux aux couleurs vives. Ensuite, j'enfile un chemisier vert algue. J'attache mes cheveux avec une grosse barrette en forme d'oursin et je chausse mes sandales en plastique que j'ai décorées avec des autocollants de coquillages et d'hippocampes.

Un bref regard dans la glace me rassure. J'ai vraiment l'allure d'une personne qui n'accorde aucune importance à sa note d'examen de maths.

À la cuisine, maman m'accueille en souriant.

— Très intéressante, ta tenue, remarque-t-elle.

Pendant le déjeuner, je bavarde comme une pie. Josée me regarde sans trop comprendre. Elle trouve certainement que mon attitude fait contraste avec celle que j'avais hier soir en quittant sa chambre. Elle ne sait pas qu'elle a affaire à la nouvelle Claudia. La Claudia-qui-s'en-moque !

À l'école, la journée se déroule bien. C'est d'ailleurs l'une des meilleures que j'aie connues depuis un bon bout de temps. Je suis attentive dans tous mes cours et je lève même la main à quelques reprises quand je crois savoir la réponse. Mes enseignants semblent heureux de me voir ainsi. Mes amies aussi.

Au dîner, les filles veulent savoir comment j'ai fabriqué ma barrette et où j'ai pris ma jupe. Nous causons de tout, sauf de maths, d'examens et de copiage.

À un moment donné, Christine commence à parler d'Isabelle Courchesne et de ce qu'elle a fait pendant le cours d'anglais. Sophie lui jette un regard et Christine s'interrompt aussitôt. Je suis chanceuse d'avoir des amies aussi délicates.

À la fin de la journée, je suis épuisée. J'ai peut-être réussi à convaincre tout le monde que « ça ne fait plus rien », mais ai-je réussi à me persuader ? Pas vraiment. Ça fait encore mal en dedans. Je déteste passer pour une tricheuse et je n'accepte pas le fait qu'un E figurera dans mon dossier là où il devrait y avoir un A-.

À la cloche, je vais chercher mes affaires dans mon casier. Je n'ai pas de garde cet après-midi et j'ai l'intention de travailler à mon collage.

En marchant vers la sortie, j'aperçois quelqu'un venir en sens inverse. Josée ! Je n'en crois pas mes yeux.

— Josée ? Mais qu'est-ce que tu fais ici ?

— J'ai décidé qu'il était temps de tirer cette affaire au clair, répond-elle. J'ai toujours entretenu de bons rapports avec le directeur quand je fréquentais cette école. Peut-être se souviendra-t-il de moi.

Se souvenir d'elle ! Jamais aucun professeur, aucun directeur n'oubliera Josée, l'étudiante modèle.

— Je sais que tu n'as pas triché, Claudia, et je vais parler au directeur au sujet de cet examen.

Ah non ! Et moi qui m'évertue justement à oublier et à faire oublier toute cette affaire !

— Je t'ai dit de ne pas te mêler de ça ! dis-je avec colère.

— Non, tu l'as dit à papa et à maman, mais tu ne m'as jamais défendu de t'aider.

— Mais qu'est-ce que tu vas dire au directeur ?

Je ne voudrais pas qu'il soit mis au courant de tout ce qui s'est passé depuis. Je pourrais avoir d'autres problèmes.

— Ne t'en fais pas, me rassure Josée. Je vais seulement lui dire que tu avais étudié très fort et que tu étais bien préparée. Je ne dirai pas un mot de la conversation que tu as entendue dans les toilettes et je ne parlerai pas non plus du casier.

Nous avons marché tout en parlant et nous voilà devant le bureau du directeur. J'ai soudain un regain d'espoir. L'idée de Josée n'est peut-être pas mauvaise après tout. Je lui souris et je la remercie.

Elle entre dans le bureau et moi, je reste dans le corridor. L'école s'est vidée et les couloirs sont maintenant déserts. Au-dessus de la grande porte, l'horloge marque les minutes. Tic. Tic. Tic. Ça fait combien de temps que Josée est à l'intérieur? Je regarde de nouveau l'horloge. Il me semble que l'aiguille n'a pas bougé. Tiens, des bruits de pas. Je lève la tête et j'aperçois monsieur Poitras au bout du corridor. Il s'en vient par ici!

En me voyant, il me salue d'un signe de tête, mais moi, je suis incapable de soutenir son regard. Il entre à son tour dans le bureau du directeur. Qu'est-ce qui se trame derrière ces murs?

Soudain, la porte s'ouvre et le directeur, tout sourire, m'invite à entrer.

— Claudia, je voudrais te parler quelques minutes.

Fixant mes souliers, je me sens ridicule dans ma tenue excentrique. Je ne me serais pas habillée ainsi si j'avais su que je me retrouverais dans le bureau du directeur. J'inspire profondément et je lui souris. Dans son bureau, Josée et monsieur Poitras bavardent comme de vieux amis.

— Assieds-toi, Claudia, me dit le directeur.

Je prends place à côté de Josée, tout en essayant d'avoir l'air d'une élève normale de secondaire II et non de la Petite sirène. Josée m'adresse un sourire d'encouragement. Je lui souris à mon tour.

— Claudia, commence le directeur, Josée m'a dit que tu avais beaucoup étudié pour ton examen de la semaine dernière.

Incapable de parler, je réponds par un hochement de tête.

— Et elle affirme que tu connaissais bien la matière.

Je hoche la tête de nouveau.

— Comment te sentais-tu lorsque tu as fait cet examen, Claudia?

— Je... je me sentais bien, dis-je en m'éclaircissant la voix. Je sentais que j'avais réussi. J'avais l'impression d'avoir étudié pour quelque chose.

— Et tu es prête à nous affirmer que tu n'as pas jeté le moindre coup d'œil sur une autre copie? demande le directeur en me regardant droit dans les yeux.

— C'est exact, dis-je d'un ton ferme. Je n'ai pas triché.

— Eh bien, dit le directeur, j'ai toujours pensé que tout le monde doit avoir la chance de prouver son innocence. Selon notre système de justice, une personne est présumée innocente jusqu'à preuve du contraire, n'est-ce pas, monsieur Poitras?

Celui-ci hoche la tête en me souriant.

— Vous pouvez partir, maintenant, dit-il. Monsieur Poitras et moi allons trouver le moyen de te donner un «procès» équitable, Claudia. Monsieur Poitras te dira demain comment il entend procéder. Est-ce que cette solution vous satisfait? demande-t-il en nous regardant à tour de rôle, Josée et moi.

— Oh, oui! c'est merveilleux! s'exclame Josée en se levant et en serrant la main du directeur. Merci beaucoup!

Quant à moi, je reste assise sur ma chaise, complètement abasourdie. Le plan de Josée a fonctionné. On va me donner la chance de prouver que je n'ai pas triché!

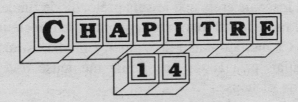

CHAPITRE 14

Je serais probablement encore dans le bureau du directeur si Josée ne m'avait pas prise par la main et entraînée dehors. Je n'arrive toujours pas à croire qu'elle a réussi à convaincre le directeur et monsieur Poitras de me donner une deuxième chance.

— Pourquoi pas? demande Josée lorsque je lui dis cela pendant la soirée. Tu mérites une deuxième chance.

Est-ce bien ma sœur Josée? Celle avec qui je me suis disputée toutes ces années? Elle agit comme la meilleure grande sœur qu'on puisse espérer avoir.

— D'après toi, que vont-ils décider? demandé-je. Comment vais-je prouver que je n'ai pas triché?

— Je n'en suis pas certaine, répond Josée. Cependant, je mettrais ma main au feu que tu devras persuader monsieur Poitras que tu connais réellement ta matière.

— Ça me rend nerveuse.

— Tu n'as pas de raison de t'inquiéter. Mais si tu veux, on peut réviser quelques problèmes.

Je sors donc mon livre de mathématiques et nous étudions pendant environ cinq minutes. C'est vrai que je n'ai pas à m'inquiéter. En fait, je connais tellement la matière que c'en est presque ennuyant.

— Josée, je crois que je suis prête, dis-je finalement. Merci mille fois d'avoir été rencontrer le directeur.

— Ça me fait plaisir de t'aider, Claudia. Après tout, je n'allais pas laisser une petite menteuse traiter ma sœur de tricheuse.

Josée est vraiment super.

Je termine mes devoirs et je me consacre ensuite à mon collage. Il est presque terminé et j'ai l'intention de l'offrir à Josée. Avant de me coucher, je téléphone à Sophie.

— Tu ne devineras jamais où j'étais à quinze heures quinze, cet après-midi, dis-je lorsqu'elle répond.

— Où ça? demande-t-elle. Pas encore en train de fouiller le casier d'Isabelle, j'espère?

— Non, non! dis-je en riant.

Comment avons-nous pu faire une telle chose? Quand je pense qu'on aurait pu se faire prendre! Je raconte à Sophie l'entrevue dans le bureau du directeur.

— Tu devais être morte de peur!

— Je tremblais comme une feuille! Mais ça en valait la peine!

— Tu as une idée de ce qu'ils vont te faire faire?

Je lui réponds que ça n'a pas d'importance. Maintenant qu'on m'accorde une deuxième chance, il n'est pas question que je la laisse passer. Nous bavardons pendant quelques minutes et au moment de raccrocher, elle répète ce qu'elle m'avait dit la veille de ce fameux examen.

— Penses-y, Claudia. Demain, à la réunion du Club, tout cela sera chose du passé.

Elle a raison. Nous avons une réunion du Club des baby-sitters demain après-midi. Espérons que j'aurai alors de bonnes nouvelles à annoncer.

* * *

Aujourd'hui, j'ai remis mes boucles d'oreilles chanceuses. Même si je me sens confiante, je me dis qu'il vaut mieux mettre toutes les chances de mon côté.

Anxieuse de savoir ce que me réserve monsieur Poitras, je me présente un peu plus tôt au cours de maths. Mon professeur est occupé à corriger des travaux à son bureau.

— Claudia, dit-il, je suis heureux que tu arrives en avance. Voilà ce que nous avons décidé. Tu vas reprendre l'examen pendant le cours.

— D'accord, dis-je. Je suis prête.

— L'examen n'est pas tout à fait pareil. Il porte sur la même matière, mais les questions sont différentes, m'informe-t-il en me conduisant à un pupitre au fond de la classe. Les autres vont travailler en équipes aujourd'hui. Alors, si tu étudies avec ta sœur ce soir, tu ne seras pas en retard sur tes camarades.

En m'assoyant, je regarde autour de moi. Les autres pupitres sont assez éloignés. Parfait! Je ne veux pas qu'il subsiste encore le moindre doute dans les esprits et qu'on pense que j'aurais pu tricher à cet examen.

Les autres élèves commencent à entrer en classe et me jettent des regards curieux. Je les ignore. Je ne peux m'empêcher cependant de remarquer qu'Isabelle meurt d'envie de savoir ce qui se passe.

Bon, au travail maintenant. Cette fois, je suis moins nerveuse que l'autre jour. Je lis attentivement les questions et, comme la dernière fois, je commence par les plus faciles pour ensuite m'attaquer aux plus difficiles. Lorsque j'ai terminé, je relis mes réponses et je vais porter ma feuille à monsieur Poitras. La période n'étant pas terminée, il décide de la corriger immédiatement.

Je reprends donc ma place habituelle et j'essaie d'étudier. Mais les chiffres et les symboles dansent devant mes yeux. Je suis impatiente de connaître le résultat.

Juste avant que la cloche sonne, monsieur Poitras me fait venir à son bureau. Je me lève en croisant les doigts.

— Tu sais, Claudia, me dit monsieur Poitras en me regardant, je ne suis pas seulement professeur de mathématiques. Je suis aussi entraîneur de l'équipe masculine de basket. Et j'estime qu'un examen c'est un peu comme disputer un match. On peut le gagner ou le perdre. Si on perd, cela signifie seulement qu'il faut continuer à s'entraîner.

Mais qu'est-ce qu'il raconte? J'aimerais bien qu'il en arrive au fait.

— Bonne nouvelle, Claudia! déclare-t-il enfin en souriant. Tu as gagné la partie! Tu as même mieux fait qu'au premier examen. Tu n'as que deux erreurs!

Youpi ! J'ai réussi ! J'ai réussi !

— Je te dois des excuses, poursuit monsieur Poitras. Je suis vraiment désolé de t'avoir accusée de tricherie. J'ai une leçon à tirer de cette affaire.

— Ça va, monsieur Poitras. Tout ce qui compte, c'est que vous me croyez maintenant.

Ça alors, je n'aurais jamais pensé qu'il me ferait des excuses.

À ce moment, la cloche retentit et tout le monde se lève.

— Isabelle Courchesne, viens ici, s'il te plaît.

Oh, oh. Pas question que je parte. Je ne manquerais pas cet entretien pour tous les Smarties du monde.

— Isabelle, fait-il, Claudia vient de reprendre l'examen pour lequel elle avait été accusée de tricher et elle a réussi haut la main.

— Oui ? Et alors ? demande Isabelle après m'avoir jeté un regard.

— Eh bien, elle a démontré qu'elle n'avait pas triché lors de cet examen, dit monsieur Poitras. Je vais donc te demander de démontrer à ton tour que tu n'as pas triché, toi non plus.

Isabelle devient pâle comme un linge sous son maquillage.

— Tu n'as pas besoin de rester après la classe. Tu feras l'examen demain matin, pendant la période d'étude.

Hé, un instant ! Ce n'est pas juste ! Ça signifie qu'elle aura le temps d'étudier. Mais je me rends vite compte que je m'indigne pour rien en voyant la réaction d'Isabelle.

— Je... je ne peux pas, bafouille-t-elle, le visage maintenant rouge comme un coquelicot.

— Pourquoi? demande monsieur Poitras. Tu ne seras pas à l'école demain?

— Non! Je veux dire oui... je serai à l'école. Mais je ne pourrai pas passer l'examen, explique-t-elle en se tordant les mains.

— Qu'est-ce que tu veux dire au juste?

— Je ne peux pas le passer parce que je ne connais pas la matière. Je ne comprends rien et même si j'étudiais toute la nuit, je ne réussirais pas. J'ai triché! avoue-t-elle soudain. J'ai copié sur Claudia!

Je n'en reviens pas! J'étais loin de me douter qu'elle avouerait aussi facilement. Monsieur Poitras semble aussi surpris que moi.

— Pourquoi, Isabelle? Pourquoi as-tu triché? demande-t-il.

— Je ne voyais pas d'autre façon de m'en sortir, dit-elle après lui avoir expliqué que ses nombreuses activités parascolaires ne lui laissaient pas de temps pour ses études.

— Et tu m'as laissé croire que de vous deux, Claudia était la tricheuse! fait monsieur Poitras en fronçant les sourcils. Tu lui dois des excuses.

Isabelle me regarde piteusement et bredouille quelque chose. Je ne comprends rien, mais je m'en fiche! J'ai réussi! J'ai réussi à prouver mon innocence. Grâce à Josée, le mystère a été résolu. Maintenant, tout le monde saura qui est la vilaine dans cette histoire. Quel soulagement! J'ai l'impression qu'on vient de m'enlever un poids énorme sur les épaules.

Isabelle-la-tricheuse pleure à gros sanglots. Elle fait presque pitié. Presque.

Nullement touché par ses pleurs, monsieur Poitras l'envoie chez le directeur. J'ai appris par la suite qu'elle avait été suspendue pendant deux jours et qu'en plus, elle avait obtenu un E pour l'examen. Pauvre, pauvre Isabelle !

— Pauvre, pauvre Isabelle, reprend Christine quand j'ai terminé mon récit à la cafétéria.

— Je savais que tout s'arrangerait, déclare Anne-Marie.

Sophie se contente de sourire et de me faire le signe de la victoire. Je suis au septième ciel.

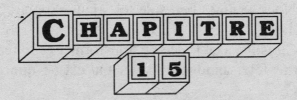

CHAPITRE 15

La réunion du Club des baby-sitters a lieu tantôt. Dans ma chambre, je mets la dernière touche à mon collage. Tout en travaillant, je fredonne les paroles de la chanson qui joue à la radio.

Lorsque je regarde enfin mon réveil, je m'aperçois qu'il est dix-sept heures vingt-neuf. Dix-sept heures vingt-neuf et Christine n'est même pas là! Normalement, elle arrive en avance. Je suis étonnée de ne pas la voir assise dans mon fauteuil.

Je hausse les épaules, je monte le volume de la radio et je retourne à mon collage. Les filles vont arriver en catastrophe d'ici une minute ou deux.

Soudain, la porte de ma chambre s'ouvre et...

— SURPRISE!

Pour une surprise, c'en est toute une. Mes amies et Josée sont là, dans l'embrasure de la porte, les bras chargés de bouteilles de cola et de sacs de croustilles. Jessie tient une assiette de biscuits aux brisures de chocolat. Toutes sourient d'une oreille à l'autre.

— Qu'est-ce qui se passe? demandé-je, à la fois heureuse et étonnée.

— On voulait faire quelque chose de spécial pour toi, dit Marjorie.

— Nous sommes fières de toi, ajoute Sophie. Tu as triomphé!

— Christine a eu l'idée de transformer cette réunion en petite fête, annonce Diane. Qu'est-ce que tu en penses?

Qu'est-ce que j'en pense? Je suis renversée. Ce n'est pas souvent que Christine contourne les règlements et modifie le format d'une réunion.

— Je pense que c'est super! dis-je. Et je pense que vous êtes les meilleures amies de la planète!

C'est alors que j'aperçois Josée. Elle se tient timidement derrière les autres, essayant de se fondre dans le décor. Elle se sent probablement comme une intruse.

— Et Josée est la meilleure sœur de tout l'univers! Allez, Josée, viens faire la fête avec nous. J'ai quelque chose pour toi.

Prenant mon collage, je le cache derrière mon dos.

— Je voulais t'offrir un cadeau pour te remercier de ton aide, dis-je.

— Oh, Claudia, tu n'as pas à faire ça. Je suis heureuse de t'aider.

— Je le sais. Je sais aussi que tu pourrais utiliser le temps que tu me consacres à beaucoup d'autres choses. Et puis, il n'y a pas seulement ton aide pour mes études. Si tu n'avais pas parlé au directeur, je n'aurais jamais eu la chance de reprendre cet examen. J'aimerais t'offrir ceci, dis-je en lui présentant le collage.

— Il est superbe, dit Josée, tout en le montrant aux autres. Merci, Claudia. Je serai très fière de l'accrocher dans ma chambre.

Sur ces entrefaites, le téléphone sonne. C'est vrai, nous sommes en pleine réunion du CBS. Je l'avais complètement oublié !

— Club des baby-sitters, bonjour ! répond Christine. Oh, bonjour, madame Picard... Bien sûr... Je vous rappelle dans quelques minutes.

— Madame Picard a besoin d'une gardienne pour les plus jeunes, samedi après-midi. Elle et son mari emmènent les triplets au cinéma pour célébrer la levée de leur punition.

— Ils vont aller manger une crème glacée après, ajoute Marjorie. Je crois que maman s'en veut un peu de les avoir punis aussi longtemps. Je garderais bien Nicolas et mes sœurs, mais Jessie et moi, on va magasiner samedi.

Anne-Marie consulte l'agenda et Sophie se voit attribuer cette garde. Christine rappelle madame Picard et nous continuons à parler des triplets.

— Vont-ils recommencer à toucher leur allocation ? veut savoir Sophie.

— Mes parents ont réalisé que si les garçons devaient payer le carreau brisé de leur poche, ils seraient probablement sans le sou jusqu'à l'université !

Il faut préciser que les allocations des jeunes Picard sont très maigres. Au nombre qu'ils sont, c'est compréhensible.

— Papa a donc conclu un marché avec eux, poursuit Marjorie. Ils vont rembourser leur dette en effectuant des petits travaux autour de la maison. Vous savez, rateler les feuilles, nettoyer le garage, etc.

— C'est super! lance Diane.

— Oui. Inutile de vous dire que les garçons sont très satisfaits de cet arrangement.

— C'est une excellente nouvelle, Marjorie, dis-je. Je suis heureuse que les choses se terminent bien pour eux... et pour moi.

— Exact, approuve Anne-Marie. Il y a de quoi fêter. Dis donc, monsieur Poitras t'a-t-il fait part de ta note officielle?

— Oui, c'est vrai, mesdames et messieurs, dis-je en faisant semblant de tenir un micro à la main. Le nom de Claudia Kishi figurera désormais dans les livres de records. En effet, elle a obtenu un A-!

— Bravo, Claudia! fait Diane.

— Je propose un toast, dit Christine. (Tout le monde s'empresse alors de se verser un verre de soda.) À Claudia! Toutes nos félicitations! Miss Marple serait fière de toi! Tu as résolu le mystère et tu as réussi l'examen!

— Ouais! crient Jessie et Marjorie d'une même voix.

— Félicitations, Claudia! dit Sophie.

Nous frappons nos verres de plastique les uns contre les autres. Toutes mes amies me sourient et je me sens rougir de plaisir.

— Bon, les filles, revenons maintenant aux choses

sérieuses! dis-je en ouvrant un sac de croustilles et en passant les biscuits au chocolat à la ronde.

— Claudia? dit soudain Josée. Es-tu contente de savoir que c'est Jessie qui a fait les biscuits au lieu de Gertrude?

J'éclate de rire. J'explique ensuite cette blague à mes amies et la réunion prend fin dans l'hilarité générale. Une réunion que je considère comme l'une des plus belles de toute l'histoire du Club.

Ce soir, au souper, Josée informe mes parents de ce qui s'est passé. Ils savent déjà que j'ai «récupéré» mon A-, mais ils ne connaissent pas tous les détails. (Heureusement, Josée ne leur raconte pas *tout*.)

— Claudia, ma chérie, je suis vraiment fière de toi! Tu as tenu bon! s'exclame maman.

— Je ne voulais surtout pas vous décevoir, dis-je. Je voulais mériter votre confiance.

— Tu as *déjà* toute notre confiance, déclare papa en souriant.

— J'avais peur que vous m'obligiez à quitter le Club des baby-sitters si j'échouais mes maths, dis-je.

— Oh, Claudia, fait maman. À l'avenir, n'hésite pas à nous le faire savoir lorsque tu as besoin d'aide. Josée, ajoute-t-elle, peux-tu me donner un coup de main à la cuisine?

Alors qu'elles disparaissent avec les assiettes vides, papa se lève et sort vivement de la salle à manger. Il revient avec l'appareil photo.

Josée et maman s'amènent l'instant d'après avec un énorme gâteau décoré de roses en sucre. Pendant qu'elles avancent vers la table, papa prend des photos. Clic! Clic!

— Qu'est-ce qu'on fête? demandé-je.

Aurais-je oublié l'anniversaire de quelqu'un?

— Claudia, regarde l'inscription sur le gâteau! dit Josée.

Je regarde de plus près. C'est écrit «FÉLICITATIONS, CLAUDIA!» Ça alors! Dans notre famille, c'est habituellement Josée qui mérite les gâteaux et les tralalas, chaque fois qu'elle remporte un concours ou décroche un prix. Mais cette fois, le gâteau est pour moi.

Je peux lire la joie sur le visage de mon père, de ma mère et de ma sœur. Ils sont fiers de moi! Et, il me faut l'avouer, moi aussi je suis plutôt fière!

Quelques notes sur l'auteure

Pendant son adolescence, ANN M. MARTIN a gardé beaucoup d'enfants, à Princeton, au New Jersey. Maintenant, elle ne garde plus que Mouse, son chat, qui vit avec elle dans son appartement de Manhattan, dans le centre de New York.

Elle a publié plusieurs autres livres dans la collection *Le Club des baby-sitters*.

Elle a été directrice de publication de livres pour enfants, après avoir obtenu son diplôme du Smith College.

LES BABY-SITTERS

41

EST-CE FINI ENTRE ANNE-MARIE ET LOUIS ?

Quatre gardiennes fondent leur club

Ann M. Martin

Adapté de l'américain par
Nicole Ferron

EH Héritage jeunesse

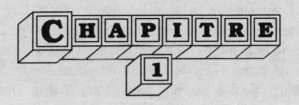

— De quoi j'ai l'air?

— Hein? Tu es parfaite, réplique Diane. Mais c'est quoi le problème? Tu vas garder Jeanne Prieur.

— Je ne sais pas. C'est madame Prieur qui me rend comme ça. Tu sais bien comment elle est toujours sur son trente-six et comment elle habille Jeanne.

— Ouais. Elles ont l'air de finalistes à un concours mère-fille.

Diane et moi pouffons de rire. Diane est non seulement une de mes meilleures amies, mais aussi ma demi-soeur. Nous sommes vendredi soir et je me prépare à aller garder Jeanne Prieur. Diane est assise dans ma chambre.

— Tu sais que madame Prieur ne va pas tellement bien depuis qu'elle a appris qu'elle attendait un bébé.

— Je n'arrive pas à croire que nous connaissons le sexe du bébé et que les autres membres du CBS ne veulent pas le savoir.

— Elles préfèrent avoir la surprise, c'est tout.

(Le CBS, c'est le Club des baby-sitters. Diane, un groupe d'amies et moi-même en faisons partie. Je vous en reparlerai plus tard.)

Qui suis-je? Je m'appelle Anne-Marie Lapierre. J'habite une très très vieille maison de ferme avec Diane, mon père et la mère de Diane. Diane et moi avons longtemps été amies avant de devenir des demi-soeurs. Après le mariage de nos parents, papa, mon chaton Tigrou et moi avons emménagé chez Diane parce que leur maison était plus grande. Comme nous formons une toute nouvelle famille, Diane appelle mon père Richard et j'appelle sa mère Hélène. Nous nous arrangeons très bien, même si quelquefois c'est un peu plus difficile. L'important, c'est que les périodes heureuses sont plus fréquentes et qu'elles durent plus longtemps.

Attendez que je me décrive. J'ai les yeux et les cheveux bruns et un petit ami! Il s'appelle Louis Brunet. J'ai quelquefois du mal à croire que j'ai un copain, d'abord parce que je suis timide, peut-être la plus timide de tout le secondaire II de l'école de Nouville. Ensuite, Louis et moi avons traversé quelques durs moments. Il y a eu la fois où Diane, Claudia (un autre membre du CBS) et quatre enfants ont été prisonniers sur une petite île pendant une excursion (c'est une longue histoire). Presque tout le monde de Nouville les cherchait et s'inquiétait d'eux. Juste avant leur disparition, Louis et moi avions eu un accrochage. Une grosse querelle au sujet d'une baliverne. J'ai tiré une leçon de cette aventure: Louis et moi ne nous faisons pas toujours confiance. J'ai appris aussi qu'on ne pouvait pas toujours compter sur Louis en situation de crise. Il n'était pas présent au moment où j'en avais le plus besoin. Je croyais qu'il aurait mis nos différends de côté pendant que nos amies étaient perdues en mer. Mais il ne le pouvait pas, du moins pas avant la toute fin de la crise.

Nous nous sommes ensuite réconciliés, mais ça n'a pas été notre seule chicane. Nous en avons vécu une autre au moment où Tigrou avait disparu. Il est si petit! Juste une boule de poils.

Voici un avant-goût de ce qui se passe dans certains autres livres de cette collection :

#1 Christine a une idée géniale

Christine a une idée géniale : elle décide de former le Club des baby-sitters avec ses amies Claudia, Sophie et Anne-Marie. Toutes les quatre adorent les enfants, mais en fondant leur Club, elles n'avaient pas envisagé les appels malicieux, les animaux au comportement étrange et les tout-petits déterminés à s'affirmer. Diriger un Club de baby-sitters n'est pas aussi facile qu'elles l'avait imaginé, mais Christine et ses amies ne laisseront pas tomber.

#2 De mystérieux appels anonymes

Lorsqu'elle effectue des gardes, Claudia reçoit de mystérieux appels téléphoniques. S'agit-il du Voleur Fantôme dont on parle tant dans la région ? Claudia raffole des histoires à énigmes, mais pas quand elle fait partie de la distribution.

#3 Le problème de Sophie

Pauvre Sophie ! Ses parents se sont mis en tête de trouver une cure miracle pour son diabète. Mais ce faisant, ils lui compliquent l'existence. Et comme le Club des baby-sitters est en guerre contre l'Agence de baby-sitters, comment ses amies peuvent-elles aider Sophie tout en luttant pour la survie du Club ?

#4 Bien joué Anne-Marie !

Au sein du Club des baby-sitters, Anne-Marie est plutôt effacée. Et voilà qu'une grosse querelle sépare les quatre amies. En plus de manger seule à la cafétéria, Anne-Marie doit garder un enfant malade sans aucune aide des autres membres du Club. Le temps est venu de prendre les choses en mains !

#5 Diane et le terrible trio

Ce n'est pas facile d'être la dernière recrue du Club des baby-sitters. Diane se retrouve avec trois petits monstres sur les bras. De plus, Christine croit que les choses allaient mieux sans Diane. Mais qu'à cela ne tienne, Diane n'a pas l'intention de s'en laisser imposer par personne, pas même par Christine.

#6 Christine et le grand jour

Le grand jour est enfin arrivé : Christine est demoiselle d'honneur au mariage de sa mère ! Et, comme si ce n'était pas suffisant, elle et les autres membres du Club des baby-sitters doivent garder quatorze enfants. Seul le Club des baby-sitters est en mesure de relever un tel défi.

#7 Cette peste de Josée

Cet été, le Club des baby-sitters organise une colonie de vacances pour les enfants du voisinage. Claudia est tellement contente ; ça va lui permettre de s'éloigner de sa peste de grande soeur ! Mais sa grand-mère Mimi a une attaque qui la paralyse… et tous les projets d'été sont chambardés.

#12 Claudia et la nouvelle venue

Claudia aime beaucoup Alice, toute nouvelle à l'école. Alice est la seule à prendre Claudia au sérieux. Claudia passe tellement de temps avec Alice, qu'elle n'en a plus à consacrer au Club et à ses anciennes amies. Ces dernières n'aiment pas ça du tout!

#13 Au revoir, Sophie, au revoir!

Sophie et sa famille retournent vivre à Toronto. Cette nouvelle suscite beaucoup de pleurs et de grincements de dents! Les membres du Club veulent souligner son départ de façon spéciale et lui organiser une fête qu'elle n'oubliera pas de si tôt. Mais comment dit-on au revoir à une grande amie?

#14 Bienvenue, Marjorie!

Marjorie Picard a toujours eu beaucoup de succès en gardant ses frères et soeurs plus jeunes. Mais est-elle assez fiable pour entrer dans le Club des baby-sitters? Les membres du Club lui font passer toutes sortes de tests. Marjorie en a assez... Elle décide de fonder son propre club de gardiennes!

#15 Diane... et la jeune Miss Nouville

Mme Picard demande à Diane de préparer Claire et Margot au concours de Jeune Miss Nouville. Diane tient à ce que ses deux protégées gagnent! Un petit problème... Christine, Anne-Marie et Claudia aident Karen, Myriam et Charlotte à participer au concours, elles aussi. Personne ne sait où la compétition est la plus acharnée: au concours... ou au Club des baby-sitters!

#16 Jessie et le langage secret

Jessie a eu de la difficulté à s'intégrer à la vie de Nouville. Mais les choses vont beaucoup mieux depuis qu'elle est devenue membre du Club des baby-sitters! Jessie doit maintenent relever son plus gros défi: garder un petit garçon sourd et muet. Et pour communiquer avec lui, elle doit apprendre son langage secret.

#17 La malchance d'Anne-Marie

Anne-Marie trouve un colis et une note dans sa boîte aux lettres. «Porte cette amulette, dit la note, ou sinon.» Anne-Marie doit faire ce que la note lui ordonne. Mais qui lui a envoyé cette amulette? Et pourquoi a-t-elle été envoyée à Anne-Marie? Si le Club des baby-sitters ne résout pas rapidement le mystère, leur malchance n'aura pas de fin!

#18 L'erreur de Sophie

Sophie est au comble de l'excitation! Elle a invité ses amies du Club des baby-sitters à passer la longue fin de semaine à Toronto. Mais quelle erreur! Décidément, les membres du Club ne sont pas à leur place dans la grande ville. Est-ce que cela signifie que Sophie n'est plus l'amie des baby-sitters?

#19 Claudia et l'indomptable Bélinda

Claudia n'a pas peur d'aller garder Bélinda, une indomptable joueuse de tours. Après tout, une petite fille n'est pas bien dangereuse... *Vraiment?* Et pourquoi Claudia veut-elle donc abandonner le Club? Les baby-sitters doivent donner une bonne leçon à Bélinda. La guerre des farces est déclarée!

#20 Christine face aux Matamores

Pour permettre à ses jeunes frères et à sa petite soeur de jouer à la balle molle, Christine forme sa propre équipe. Mais les Cogneurs de Christine ne peuvent aspirer au titre de champions du monde avec un joueur comme Jérôme Robitaille, dit La Gaffe, au sein de l'équipe. Cependant, ils sont imbattables quand il s'agit d'esprit d'équipe !

#21 Marjorie et les jumelles capricieuses

Marjorie pense que ce sera de l'argent facilement gagné que de garder les jumelles Arnaud. Elles sont tellement adorables ! Martine et Caroline sont peut-être mignonnes... mais ce sont de véritables pestes. C'est un vrai cauchemar de gardienne — et Marjorie n'a pas dit son dernier mot !

#22 Jessie, gardienne... de zoo !

Jessie a toujours aimé les animaux. Alors, lorsque les Mancusi ont besoin d'une gardienne pour leurs animaux, elle s'empresse de prendre cet engagement. Mais quelle affaire ! Ses nouveaux clients ont un vrai zoo ! Voilà un travail de gardienne que Jessie n'oubliera pas de si tôt !

#23 Diane en Californie

Le voyage de Diane en Californie est encore plus merveilleux qu'elle ne l'avait espéré. Après une semaine de rêve, elle commence à se demander si elle ne restera pas sur la côte ouest avec son père et son frère... Diane est Californienne de coeur... mais pourra-t-elle abandonner Nouville pour toujours ?

#24 *La surprise de la fête des Mères*

Les Baby-sitters cherchent un cadeau spécial pour la fête des Mères. Or, Christine a une autre de ses idées géniales : offrir aux mamans une journée de congé… sans enfants. Quel cadeau ! Mais la mère de Christine réserve elle aussi une surprise à sa famille…

#25 *Anne-Marie à la recherche de Tigrou*

L'adorable petit chat d'Anne-Marie a disparu ! Les Baby-sitters ont cherché Tigrou partout, mais il reste introuvable. Anne-Marie a alors reçu une lettre effrayante par la poste ! Quelqu'un a enlevé son chat et exige une rançon de cent dollars ! Est-ce une blague ou Tigrou a-t-il vraiment été enlevé ?

#26 *Les adieux de Claudia*

Mimi vient de mourir. Claudia comprend qu'elle était malade depuis longtemps, mais elle en veut à sa grand-mère de l'avoir abandonnée. Maintenant, qui aidera Claudia à faire ses devoirs ? Qui prendra le thé spécial avec elle ? Pour éviter de penser à Mimi, Claudia consacre tous ses moments libres à la peinture et à la garde d'enfants. Elle donne même des cours d'arts plastiques à quelques enfants du voisinage. Claudia sait bien qu'elle doit se résigner et accepter le départ de Mimi. Mais comment dit-on au revoir à un être cher… pour la dernière fois ?

#27 *Jessie et le petit diable*

Nouville a la fièvre des vedettes! Didier Morin, un jeune comédien de huit ans, revient habiter en ville et tout le monde est excité. Jessie le garde quelques fois et, même si les autres enfants le traitent de «petit morveux», elle aime bien Didier. Après tout, c'est un petit garçon bien ordinaire...

#28 *Sophie est de retour*

Les parents de Sophie divorcent. Sophie accepte difficilement cette situation et voilà qu'en plus, elle a un choix à faire: vivre avec son père ou avec sa mère; vivre à Toronto ou à... Nouville. Quelle décision prendra-t-elle?

#29 *Marjorie et le mystère du journal*

Sophie, Claudia et Marjorie découvrent une vieille malle au grenier de la nouvelle maison de Sophie. Tout au fond de la malle se cache un journal intime. Marjorie réussira-t-elle à percer le mystère du journal?

#30 *Une surprise pour Anne-Marie*

Anne-Marie va vivre une expérience spéciale: le mariage de son père avec la mère de Diane. Les deux baby-sitters souhaiteraient une grande cérémonie avec les robes, les cadeaux et le gâteau qui vont de pair... Après tout, elles deviendront bientôt deux soeurs.

#31 Diane et sa nouvelle soeur

Diane a toujours rêvé d'avoir une soeur. Mais maintenant qu'elle et Anne-Marie vivent sous le même toit, Anne-Marie ressemble plutôt à une vilaine demi-soeur: elle se vante d'aller à la danse de l'école, son chat vomit sur la moquette, et elle accapare les gardes de Diane!

#32 Christine face au problème de Susanne

Même Christine ne peut déchiffrer les secrets de Susanne, une petite fille autistique qu'elle garde régulièrement. Christine réussira-t-elle à relever le défi qu'elle s'est lancé: transformer Susanne pour qu'elle reste à Nouville?

#33 Claudia fait des recherches

Tout le monde sait que Claudia et sa soeur sont aussi différentes que le jour et la nuit. En ouvrant l'album de photos de famille, Claudia constate qu'il n'y a pas beaucoup de photos d'elle toute petite. Et Claudia a beau chercher son certificat de naissance et l'annonce de sa naissance dans de vieux journaux, elle ne trouve rien. Claudia Kishi est-elle vraiment ce qu'elle croit être? Ou a-t-elle été… adoptée?

#34 Trop de garçons pour Anne-Marie

Un amour de vacances va-t-il venir séparer Louis et Anne-Marie? Sophie et Vanessa ont, elles aussi, des problèmes avec les garçons. Décidément, il y a trop de garçons à Sea City!

#35 Mystère à Nouville!

Sophie et Charlotte découvrent une maison hantée… à Nouville! Les Baby-sitters arriveront-elles à résoudre ce mystère des plus lugubres?

#36 La gardienne de Jessie

Comment les parents de Jessie peuvent-ils lui imposer une gardienne? Jessie aura du mal à expliquer à tante Cécile qu'elle peut très bien prendre soin d'elle-même.

#37 Le coup de foudre de Diane

Lorsque Diane rencontre Alexandre, elle a l'impression que c'est le garçon idéal pour elle. Cependant, les autres membres du Club des baby-sitters éprouvent une certaine méfiance à l'égard d'Alexandre. Diane aura-t-elle une peine d'amour?

#38 L'admirateur secret de Christine

Quelqu'un envoie des lettres d'amour à Christine. Christine est persuadée qu'elles proviennent de Marc, l'entraîneur rival de balle molle. Mais ces notes deviennent bizarres, menaçantes même… Est-ce que Marc ou quelqu'un d'autre cherche à jouer un vilain tour à Christine?

#39 Pauvre Marjorie !

Le père de Marjorie a perdu son emploi! La famille arrivera-t-elle à joindre les deux bouts? Les jeunes Picard retroussent leurs manches et viennent en aide à leur père.

ACHEVÉ   D'IMPRIMER
EN   MAI   1994
SUR LES PRESSES DE
PAYETTE & SIMMS INC.
À SAINT-LAMBERT (Québec)